総合判例研究叢書

刑事訴訟法 (5)

有斐閣

序

フランスにおいて、自由法学の名とともに判例の研究が異常な発達を遂げているのは、その民法典が百五十余年の齢を重ねたからだといわれている。それに比較すると、わが国の諸法典は、まだ若い。最も古いものでも、六、七十年の年月を経たに過ぎない。しかし、わが国の諸法典は、いずれも、近代的法制を全く知らなかつたところに輸入されたものである。そのことを思えば、この六十年の間に極めて重要な判例の変遷があつたであろうことは、容易に想像がつく。事実、わが国の諸法典は、それに関連する判例の研究でこれを補充しなければ、その正確な意味を理解し得ないようになつている。

判例が法源であるかどうかの理論については、今日なお議論の余地があろう。しかし、実際問題として、多くの条項が判例によつてその具体的な意義を明かにされているばかりでなく、判例によつて特殊の制度が創造されている例も、決して少くはない。判例研究の重要なことについては、何人も異議のないことであろう。

判例の創造した特殊の制度の内容を明かにするためにはもちろんのこと、判例によつて明かにされた条項の意義を探るためにも、判例の総合的な研究が必要である。同一の事項についてのすべての判決を探り、取り扱われた事実の微妙な差異に注意しながら、総合的・発展的に研究するのでなければ、判例の研究は、決して終局の目的を達することはできない。そしてそれには、時間をかけた克明な努力を必要とする。

幸なことには、わが国でも、十数年来、そうした研究の必要が感じられ、優れた成果も少くないようになつた。いまや、この成果を集め、足らざるを補ない、欠けたるを充たし、全分野にわたる研究を完成すべき時期に際会している。

かようにして、われわれは、全国の学者を動員し、すでに優れた研究のできているものについては、その補訂を乞い、まだ研究の尽されていないものについては、新たに適任者にお願いして、ここに「総合判例研究叢書」を編むことにした。第一回に発表したものは、各法域に亘る重要な問題のうち、研究成果の比較的早くでき上ると予想されるものである。これに洩れた事項でさらに重要なもののあることは、われわれもよく知つている。やがて、第二回、第三回と編集を継続して、完全な総合判例法の完成を期するつもりである。ここに、編集に当つての所信を述べ、協力される諸学者に深甚の謝意を表するとともに、同学の士の援助を願う次第である。

昭和三十一年五月

編集代表
小野清一郎　宮沢俊義
末川　博　我妻　栄
中川善之助

凡例

一　判例の重要なものについては判旨、事実、上告論旨等を引用し、各件毎に一連番号を附した。

二　判例年月日、巻数、頁数等を示すには、おおむね左の略号を用いた。

大判大五・一一・八民録二二・二〇七七　（大審院判決録）
（大正五年十一月八日、大審院判決、大審院民事判決録二十二輯二〇七七頁）
大判大一四・四・二三刑集四・二六二　（大審院判例集）
最判昭二二・一二・一五刑集一・一・八〇　（最高裁判所判例集）
（昭和二十二年十二月十五日、最高裁判所判決、最高裁判所刑事判例集一巻一号八〇頁）
大判昭二・一二・六新聞二七九一・一五　（法律新聞）
大判昭三・九・二〇評論一八民法五七五　（法律評論）
大判昭四・五・二二裁判例三・刑法五五　（大審院裁判例）
福岡高判昭二六・一二・一四刑集四・一四・二一一四　（高等裁判所判例集）
大阪高判昭二八・七・四下級民集四・七・九七一　（下級裁判所民事裁判例集）
最判昭二八・二・二〇行政例集四・二・二三一　（行政事件裁判例集）
名古屋高判昭二五・五・八特一〇・七〇　（高等裁判所刑事判決特報）
東京高判昭三〇・一〇・二四東京高時報六・二・民二四九　（東京高等裁判所判決時報）
札幌高決昭二九・七・二三高裁特報一・二・七一　（高等裁判所刑事裁判特報）
前橋地決昭三〇・六・三〇労民集六・四・三八九　（労働関係民事裁判例集）

その他に、例えば次のような略語を用いた。

裁判所時報＝裁　時　　家庭裁判所月報＝家裁月報

判例時報＝判　時　　判例タイムズ＝判　タ

目次

被告人の証人審問権の範囲

浦辺　衛

はしがき

証人審問権は、日本国憲法三七条二項によって初めて認められた被告人の権利である。それは英米法的な当事者主義の理念に基くもので、憲法の他の規定(三七I・三七III・三八)とともに、刑事訴訟における当事者主義の採用を要請するものであり、わが国の刑事訴訟の基本構造に重大な変革を与えるものであった。

日本国憲法とともに施行された刑訴応急措置法は、憲法三七条二項に基き被告人の証人審問権確保のための規定(同法一一・一二)を設け、次いで新刑事訴訟法も三二〇条以下に伝聞証拠法則に関する規定を設けている。そして最高裁判所は、刑訴応急措置法当時から証人審問権に関する多くの重要な判例を出しており、これらの判例は、新憲法下の刑事訴訟手続を支える一つの大きな柱を形造っているのである。これらの判例を「被告人の証人審問権の範囲」という問題に焦点を合せて考察し、綜合的に研究することは極めて意義があり、興味のあることといわねばならない。

私に与えられた本研究に当って最も困難を感じた点は、どの範囲の判例を選び、それをどのように分類するかということであった。これらの判例は広範多岐にわたり、またどの判例も幾つもの理由をあわせて判示しているからである。私としては、私なりの考えで、証人審問権の範囲という観点から重要な判例をできる限り多く選んで、これをなるべく体系的に分類し、その内容と相互の関係を明らかにすることに努めた。しかしその結果は極めて不満足なものであり、更に今後の研究にまたねばならない。

なお引用判例の末尾に、(旧)、(応)、(新)とあるのは、その判例が、旧刑事訴訟法、刑訴応急措置法、新刑事訴訟法のそれぞれに関するものであることを区別するために表示したものである(一九五八・五・二八)。

一　緒　言

一　証人審問権と証人要求権

明治以来のわが国において採用された刑事手続は大陸法に範をとったもので、糺問主義の色彩を免れることができなかった。その結果、実体的真実の発見が刑事裁判の第一の目的となり、これを追求するために職権主義が尊重され、証拠の採否については職権主義と結びつく徹底した自由心証主義が採用された。そのため被告人は、ややもすると取調の客体として、その自白が偏重され、当事者としての権利は充分に認められず、また供述録取書の証拠能力に対する法的規制も殆んど存しなかった(旧刑訴三四三)。旧憲法には、被告人の証人審問権に関する規定はもちろんなかった。また訴訟法上も被告人は、自己を有罪ならしめる不利益な証人に対してさえ直接これを尋問する権利は認められず(旧刑訴三三八IV)、公判廷において証人尋問が行われる際に、自己が必要とする事項について、これを尋問すべきことを裁判長に請求することを認められたに過ぎなかった。また被告人が必要とする自己に有利な証人の喚問についても憲法上これを要求する権利は認められず、裁判所に対して証人尋問の請求をして採用の決定があった場合に——この点外見上は現行法上も同様であるが——その証人の尋問を裁判長に請求し得たにとどまる。

これに対し日本国憲法は、英米法の当事者主義的訴訟手続を採り入れ、刑事手続における被告人の権利保護のために諸種の権利を詳細に規定した。被告人の証人審問権についても、三七条二項に「刑事被告人は、すべての証人に対して審問する機会を充分に与へられ、又、公費で自己のために強制的手続により証人を求める権利を有する。」と規定した。同条項前段は、被告人が自己に不利益な証人——主に検察官側の——に対する反対尋問権を確保するもので、いわば狭義の証人審問権であるのに対し、同条項後段は、被告人が自己に有利な証人の喚問を裁判所に対して要求し得る権利すなわち証人要求権（証人喚問請求権）を規定するものである。本稿において取り扱う証人審問権とは、右の証人審問権と、証人要求権とを含む広義の証人審問権を意味する。

二　証人審問権と刑訴応急措置法

日本国憲法の施行に伴い刑事訴訟法について応急的措置を講ずることを目的として、昭和二二年五月三日から刑訴応急措置法が施行されたが、同法一一条二項は、「被告人は、公判期日において、裁判長に告げ、共同被告人、証人、鑑定人、通事又は翻訳人を訊問することができる。」と規定し、憲法三七条二項に基いて、被告人に対し、従来認められていなかった直接証人を尋問する権利を与えた。また同法一二条一項は、「被告人その他の者（被告人を除く。）の供述を録取した書類又はこれに代わるべき書類は、被告人の請求があるときは、その供述者又は作成者を公判期日において訊問する機会を被告人に与えなければ、これを証拠とすることができない。但し、その機会を与えることができず、又は著しく困難な場合には、裁判長は、これらの書類についての制限及び被告人の憲法上の権利を適当に考慮して、これを証拠とすることができる。」と規定した。これによると、司法警察員または検察官の作成した供述録取書類は、被告人の請求があるときは、必ずその供述者を公判廷において取り調べなければ証拠とし得ないこととなる。この意味において、被告人の証人審問権が、確保されるのであるが、その反面右の反対尋問の機会が与えられている限りは——現実に証人尋問の請求をせず、または証人尋問の際その点の反対尋問がされていなくても——その証人の公判廷外における供述（録取調書）を証拠とし得ることとなる（後記【1】【2】【14】【15】等判決）。

刑訴応急措置法の右の規定が、果して憲法三七条二項の要請を全面的に充たしているかについては、厳格にいうと問題がないではないが、憲法の施行に伴う応急的な臨時立法としては、この程度の規定で満足せざるを得なかったのである（米国模範証拠法典は、伝聞法則について、大体応急措置法の線を示しているようである。Model Code of Evidence § 503）。

最高裁判所の判例も右の規定を合憲と解し（後記【8】判決）、学者も概ねこれに賛成したが、問題はこの応急措置法のもとにおける判例理論が新刑事訴訟法のもとにおいても受け継がれ、その合憲性の理由づけとして引用されることとなった点である。すなわち応急的臨時立法であった応急措置法の解釈が現行刑事訴訟法の解釈として引き継がれ（後記【30】判例）、やがてこの最高裁の見解は、刑訴三二一条各号の伝聞法則の例外規定をすべて合憲と認める判例理論に導く端緒となったのである（特に後記【65】【71】等判決）。この経過の詳細については、後記各判例の項において述べる。

三　証人審問権と刑訴法および刑訴規則

昭和二四年一月一日から施行された刑事訴訟法は、憲法三七条二項の要請に基き、三〇四条を設けて被告人の証人審問権を認め、一五七条ないし一五九条において被告人の証人尋問への立会権、公判期日外における証人尋問権、被告人の再尋問権等を規定し、更に三二〇条において伝聞証拠禁止の法則（通説であり、判例も結局これを認めること後述のとおり）を規定したが、実体的真実主義の立場から、伝聞法則に対する多くの例外規定を設け、一定の場合に被告人の反対尋問を経ない書面または伝聞供述に証拠能力を認めた。この伝聞法則の例外規定のあるものについては、一部の学者から憲法違反の主張がなされているが、最高裁判所の判例は、前述のとおり応急措置法の判例解釈を踏襲して、いずれもこれを合憲と解している。

また昭和三二年四月一日から証人の交互尋問に関する刑事訴訟規則（一九九条の二ないし一九九条の一三）が制定施行された。憲法三七条二項の規定は、証人審問権について、その形式や時期までも規定するものではなく、従って交互尋問の方式を採ることを要求するものではないから、裁判官尋問を原則とする刑訴三〇四条の合憲であることはいうまでもない。しかし、当事者の反対尋問権の確保のためには英米法流の交互尋問の方式が望ましいところであり、このことは訴訟の実際において証人尋問の九〇％までが交互尋問の方式によって行われた事実によって明らかにされた。従って交互尋問の方式を採用し、その運用を円滑、迅速にするために、これに法的規制を加えることが必要となったのである。後記【22】判決は、憲法三七条二項が反対尋問の形式や時期までも規定するものでないことを示しているから、英米流の交互尋問の方式を採用することは憲法の要請ではないが、またそれを禁ずる趣旨でもないことが明らかである。

二　証人審問権

一　証人審問権の本質

（一）　証人審問権と伝聞法則　　憲法三七条二項前段の「刑事被告人は、すべての証人に対して審問する機会を充分に与へられる」というのは、被告人に不利益な証人に対する反対尋問権を確保する趣旨であり、反対尋問権を確保するとは伝聞証拠の証拠能力を排斥する意味であるというのが通説である（江家・基礎理論六二頁、田中・証拠法九七頁、栗本・改訂証拠法三五頁、団藤・綱要五訂版一九〇頁、青柳・通論二九一頁、平野・刑訴法六二頁、平場・講義一八六頁、高田・刑訴法二三五頁）。この見解は、憲法三七条二項が「被告人は自己に不利な証人との対審(Confrontation)を求め、自己に有利な証人をうるために強制の手続をとる権利を有する。」という米国連邦憲法修正六条の規定に由来することをその根拠とする。米国連邦憲法修正六条の解釈については、ウイグモアの説によると、同条の「対審の権利」とは伝聞証拠排斥の原理を意味するのであり、伝聞証拠とは反対尋問にさらされていない供述またはその供述を記載した書面をいうものとされている。従ってもしわが憲法三七条二項前段の規定が米国連邦憲法修正六条にいう対審の権利の規定と全く同意義であるならば、伝聞証拠排斥の法則はわが憲法の要請するところといわねばならないし、また刑訴法三二〇条の規定はこの伝聞証拠禁止の法則を、同法三二一条以下の規定はその例外を規定するものということになる（栗本・諸問題一五七頁）。

しかしこれに対しては、小野博士の有力な反対がある。すなわち、博士によれば、「刑訴三二〇条の規定を私は理論的には直接主義の宣言として受取るのである。学者は概ねこの規定全部を伝聞証拠の排除を規定したものと解してゐる。これは近時のアメリカの証拠理論の概念によったものとして理解できるが、結局英米法の歴史的伝統の下において考へられた理論をそのまま借用するものに他ならない。ところで、英米法の理論にしても、私は近時アメリカの証拠理論に疑をもつ。この理論において伝聞証拠の排除については余りにも多くの例外が認められてゐる。そのこと自体、原則そのものが理論的に価値の乏しいものであることをおもはせる。況んや英米法的伝統をもたないわが邦においては、純理論的に直接主義を原理とし、伝聞証拠の排除をその一つの場合として考ふべきだとおもふ。」とされるのである(小野・「新刑訴における証拠の理論」刑雑四・三・三二〇頁)。

これに対して、栗本判事は一応の賛意を表され、「伝聞証拠とは、結局証人が間接に第三者のいったことを供述した場合のその証人の供述のみを指すものと解し、法廷外の第三者の決定を録取した書類等の書証の排斥は大陸法系の考えている直接主義の徹底ということで説明する方が伝聞理論についての何らの歴史的背景をもたない我国では寧ろ賢明な行き方であるといい得るのである。伝聞証拠の排除のもたらす現実の結果と大陸法系の直接主義の徹底の結果とは一見著しく相違するかの如く思われないでもないが、実は余り大きな相違はないのである。何故ならば、伝聞法則にしてもその不適用の場合というものがあり、これにより相当な範囲において書面又は又聞き的供述が証拠能力をもつこととなり、更に伝聞の例外なるものもかなりの数に達するのであって、結局伝聞理論を採用してもかなりの範囲において書面や又聞き的供述が証拠となり得るのであり、一方直接主義を徹底させて行けば、第三者の法廷外の供述録取調書の如きは証拠能力が否定されて行くこととなるからである。」とされるのである(栗本・「刑事証拠法と訴因論の研究」警研二五・九・二五頁、実務講座Ⅷ一八八〇頁)。

問題は、直接主義の意義をいかに解するかにある。直接主義または直接審理主義とは、直接公判廷で取り調べられた証拠に限って裁判の基礎とすることができるとする主義であるとされるが(団藤・五訂版三一八頁)、従来の大陸法的な意味での直接主義は、裁判所がみずから直接証拠を取り調べ、証人尋問をすることにより最も新鮮かつ正確な心証を形成し得るというように専ら裁判所の立場から職権主義的に考察されて来たのであって、この意味の直接審理主義から伝聞証拠禁止の法則が導き出されるか疑問である（現にドイツの学説・判例によると伝聞証拠は必ずしも禁ぜられていないということである。岸・「岐路に立つ刑事裁判」(6)判タ六一・二頁）。これに対して、英米流の当事者主義的訴訟構造のもとにおいては、証拠を直接に法廷に顕出することにより当事者特に被告人に充分な弁解の機会を与えるという観点から直接主義が理解され（被告人の反対尋問を経ていない点では、供述を記載した書面も供述自体も何らの差異がない）、この意味の直接主義の要請から伝聞法則が確立されたのである（同旨・高田・刑訴法二三六頁）。

そうだとすれば、英米法にならって当事者主義的訴訟構造を多分に採り入れたわが国においては、憲法三七条二項の意味する直接主義の要請を、被告人が直接に証人を審問する権利を保障するために被告人の反対尋問を経ない証拠の証拠能力を排除する趣旨であると理解する通説の見解が正当であると思われる。そうでなければ、被告人の反対尋問権は軽視され、その結果書証が証拠の重要な部分を占めているわが国の刑事訴訟の現状においては（新刑訴施行後の調査によると、人証と書証の割合は、人証一七・三%に対し、書証八二・七%であって、その割合はその後も大した変化はないと思われる。）、被告人に対する憲法の保障は極めて無力なものとなる虞があるからである（同旨・江家・「反対尋問権」ジュリスト一三号二九頁、岸・「訴訟指揮と法廷警察」実務講座V一〇二八頁）。

しかし、これに対して反対説は、英米法が被告人の反対尋問権の確保に意を用い、被告人の反対尋問にさらされない証拠の許容性（Admissibility）を規制しているのは、当事者訴訟主義を前提とする素人による陪審裁判を採用しているためであるが、わが国においては専門裁判官が事実の認定に当るのであって、依然として職権主義を残しているとするのであるから（小野・前掲・刑雑五・三・二九一頁、本田等・「伝聞法則の例外」実務講座Ⅷ一八八六頁）、この説によると、憲法三七条二項を英米流の伝聞法則を規定するものと解する必要はなく、大陸法的な職権主義を前提とする直接審理主義を規定しているものと解することとなる（刑訴三二一条一項一号の供述調書は前に裁判官の面前において、被告人に反対尋問の機会を与えられた場合も含んでいるから、直接主義によらなければ説明できない）。

右のいずれが正当であるか、また最高裁判所の判例が果していずれの見解に従うものであるか、以下判例の発展をたどって研究していきたいと思う。

この点に関する最高裁判所の見解を示す判例としては、刑訴応急措置法一二条一項の規定の合憲性を論じた次の判決が、その最初のものである。

【1】「刑訴応急措置法一二条は、証人その他の者の供述を録取した書類又はこれに代わるべき書類を証拠とするには、被告人の請求があったときは、その供述者又は作成者を公判期日において尋問する機会を被告人に与えることを必要とし、憲法三七条に基き被告人は、公費で自己のために強制手続によりかかる証人の訊問を請求することができるし、又証人に対して充分に審問する機会を与えられることができ不当に訊問権の行使を制限されることがない訳である。しかし裁判所は被告人側からかかる証人の尋問請求がない場合においても、義務として現実に訊問の機会を被告人に与えなければ、これらの書類を証拠とすることができないものと解すべき理由はどこにも存在しない。憲法の諸規定は、将来の刑事訴訟の手続が一層直接主義に徹せんとする契機を充分に包蔵しているが、それがどの程度に具体的に現実化されてゆくかは、社会の実情に即して適当に規制せらるべき立法政策の問題である。今直ちに憲法三七条を根拠として、論旨のごとく第三者の供述を証拠とするにはその者を公判において証人として訊問すべきものであり、公判廷外における聴取書又は供述に代る書面をもつて証人に代えることは絶対に許されないと断定し去るは早計に過ぎる。」（最判昭二三・七・一九集二・八・九五二（応））。

この判決には、栗山・斎藤各裁判官の少数意見があり、両極端である。まず栗山裁判官の意見は、「憲法三七条二項は、被告人又は弁護人の面前でされる証人の供述でなければ証拠にとれない。言いかえれば、供述を録取した書類を読聞けただけでは証拠とすることができない。即ち直接審理の原則を宣明したものである。……応急措置法一二条はできる限り厳格に解釈すべきものである。元来憲法三七条二項の特権は、第三者の供述を、被告人に対質させないで即ち審問の機会を与えないで単に読聞けただけで断罪した専制政府の裁判に対し、人権を擁護するためにできた保障であつて、恐るべき裁判の歴史の産物である。……犯罪捜査の機関である司法警察官又は検察官が証拠を蒐集する段階で作成した報告書即ち聴取書は、理論上は公訴機関が公訴を提起するか否かを判断する資料に過ぎないものである。之を公訴提起後に公訴機関が公判期日に証拠として提出した場合にこの報告書に録取された第三者の供述については、捜査の段階で被告人に審問の機会が与えられたわけではないから、裁判所は直接審理主義に基いて、被告人又は弁護人の面前で供述者を証人として訊問した後でなければ証拠にとれないことを原則とすべきである。ことに第三者の供述によつて被告人に刑責を負わせる場合の如き、裁判所としては未だかつて直接審理をしたことがないのに、その供述を録取した書類によつて裁判するのは、被告人又は弁護人の請求の有無に拘らず、憲法三七条二項の原則に反するものである。従て刑訴応急措置法一二条は、前掲のような特殊事由がある場合を除いては、原則として嘗て審問の機会が与えられた証人その他の者の供述を録取した書類と解すべきである。」と。

これに対し斎藤裁判官の意見は、原審においては応急措置法一二条の合憲性は争われず、従って原審判決においては憲法適否の判断がなされていないから、この点に関する上告は不適法であるというのであったが、更に附随的に次のように述べている。

「憲法三七条二項は、国家に対するいわゆる受益権の一種を刑事被告人に与へた規定であつて、刑事手続として直接審理主義を採用することを定めた規定ではない。それ故刑事被告人にして、自ら右権利を行使せざるにかかわらず、裁判所が、職権を以て必ず証人を公判廷において直接訊問すべく、従って被告人の請求を条件とする応急措置法一二条は違憲なりとする所論は根底において理由なきものである。」と。

本件は、自己生産の玄米を他人に売却した食糧管理違反被告事件において、犯罪事実認定のために買受人の始末書を証拠として採用した第一審判決を是認した控訴審判決に対する最高裁判所の判決である。弁護人の上告論旨は、次のとおりであった。憲法三七条二項の趣旨は、刑事事件において第三者の供述を証拠とするにはその者を証人として公開の法廷で尋問すべきであり、公判外における聴取書又は供述に代る書面をもって証人に代えることは許されない。証人審問の機会を充分に与えるというのは、単に被告人の請求があれば証人として審問するというのではないから、始末書を証拠とするには、証人尋問の請求がなくても、必ずその作成者を尋問することを要する趣旨である、と。

これに対して、本判決（多数意見）は、（一）証人等の供述調書を採用するについては、証人審問権は被告人の請求のある場合にのみ与えれば足ること、（二）憲法三七条二項は、第三者の供述を証拠とするには必ずその者を公判において証人として尋問することを命じ、聴取書または供述に代わる書面をもって証人に代えることを絶対に禁ずる趣旨ではないこと、を判示しており、その理由づけとして、憲法の規定は直接審理主義の方向を目指していることを承認するが、具体的内容は将来の立法政策の問題だとする。

そして、ここにいう直接審理主義の意味は必ずしも明白ではないが、前述した裁判所を中心とする職権主義的意味における直接主義ではなく、当事者主義的なものでなければならない。判旨が「憲法の諸規定は、将来の刑事訴訟の手続が一層直接主義に徹せんとする契機を包蔵している」としているのは、このような意味に理解できる。新刑訴への過渡的段階においては、応急措置法一二条程度の伝聞証拠禁止に対する例外を認めることはやむを得ないから、同条項は憲法の要求を最少限度に充たすものとして合憲と解するほかはないとする説がある（団藤・判例研究二・五・一二〇頁）。これに対し、判旨が憲法三七条二項を単に直接主義の要請と解しているのは、同条項が当事者主義的直接主義すなわち伝聞法則を規定するものであることに対する正しい認識を欠くものと批判する説もある（江家・「反対尋問権」ジュリスト一三一号二七頁）。

右の多数意見に対し、栗山裁判官の少数意見は、当事者主義的な直接審理主義を強調し、前記上告論旨と同じく、被告人または弁護人の請求の有無にかかわらず供述録取書によって裁判することは憲法三七条二項の原則に反して許されないとして、その当事者訴訟主義的要請を強調する。これに反し、斎藤裁判官の意見は、憲法三七条二項は国家に対する受益権を被告人に与える規定であって、刑事手続として直接審理主義を採用することを規定したものでないとするのであって、憲法三七条二項を前記の職権主義的な直接主義の規定と理解するもののようである。

私としては、憲法三七条二項はやはり当事者主義の要請としての直接審理主義を規定したものと解するが、応急措置法一二条の現定は応急的臨時立法として合憲と解せざるを得ないから、被告人または弁護人から証人尋問の請求がなかったために始末書をそのまま証拠に採用したことを是認した本判決は、正当であると考える。

次に右の斎藤裁判官の見解を踏襲し、その立場を更に進めた第一小法廷（斎藤裁判官も構成員の一人である）の判決がある。

【2】「憲法三七条は、刑事被告人が証人審問の機会を求め得る等の所謂国家に対する受益権の一種を認めたものであつて、必ずしも刑事訴訟手続における証人尋問につき常に直接審理主義を採用すべきことを明定した規定ではない。それ故憲法の該条項を根拠として、刑事被告人が自ら右権利を行使しないにも拘らず、裁判所は職権を以て必ず証人を公判廷において直接尋問しなければならぬということを推断し、さらにこれを理由として被告人の請求を待つて証人尋問をなすべき旨を規定した刑訴応急措置法第一二条を違憲なりとする所論は、その根底において理由なきものである（最判昭二三・七・一九前記【1】判決・筆者注）。されば、右応急措置法の規定が違憲であり無効であることを前提とする論旨は採用の限りでない。」（最判昭二三・一一・一〇・二一集二・一一・一八三七（応））。

本件は、窃盗被告事件の証拠として盗難被害届が採用されたことに対し、弁護人から、盗難被害届は被告人の反対尋問を経ずに一方的に作成せられたものであるから、起訴事実の立証責任は検察官にあり、その証拠は公判廷において直接調べねばならないと主張された。

判旨は、(一)証人審問権は国家に対する受益権に過ぎず、憲法三七条二項は直接審理主義を採用すべきことを規定したものではないこと、(二)証人尋問は被告人の請求をまってすればよいこと、を理由として上告論旨を斥けたのであって、ここにいう直接審理主義とは、前述の職権主義的意味における裁判所の側からみた直接主義の意味と思われる。そうだとすると、憲法三七条二項をこの意味の直接審理主義の要請でないとするこの判決は、まして当事者主義的な直接主義の要請であると解するとは思われないから、被告人の証人審問権確保の見地からすれば、前記【1】判決より、後退した判決であり、被告人の基本的人権として規定された証人審問権に対する正しい理解がないのではないかと疑われる(定塚・評釈八巻三一〇頁は、判例は文字解釈に過ぎず、応急措置法一二条が違憲立法でないか考慮していないとする)。

その後の判例の推移発展については、本稿の以下各判例を通じて考察するわけであるが、証人審問権の本質に直接関係する最高裁判所の見解を示す代表的判決をここに列記すると次のとおりである。

(1) 被告人に反対尋問の機会を与えない証人の供述録取書の証拠能力を憲法三七条二項との関係を論じた後記【8】判決は、

「憲法三七条二項に、刑事被告人はすべての証人に対し審問の機会を充分に与えられると規定しているのは、裁判所の職権により、又は訴訟当事者の請求により喚問した証人につき、反対尋問の機会を充分に与えられなければならないと言うのであつて、被告人に反対尋問の機会を与えない証人その他の者(被告人を除く)の供述を録取した書類は、絶対に証拠とすることは許されないという意味をふくむものではない。」

とし、

(2) 憲法三七条二項と被告人に反対尋問の機会を与えないで作成された被害始末書の証拠能力に関する後記【16】判決は、

「憲法三七条二項は、証拠手続として、憲法上必ず被告人を立会わせて直接審理のみを行うべく、従つて、被告人の請求の無い場合でも、常に現実に被告人の反対尋問に曝らされない証人の供述又はこれに代るべき証拠書類を証拠とすることを憲法上絶対に禁止した規定であるとすることはできない。」

とし、

(3)　監獄に拘禁中の被告人の公判期日外における証人尋問に対する立会権と憲法三七条二項との関係を論じた後記【45】判決は、

「憲法三七条二項は、刑事被告人の証人審問権を保障した規定である。されば、裁判所が諸般の事情からその必要を認めて証人を裁判所外に召喚し又はその現在場所で尋問する場合には合理的に可能なかぎり、被告人にも証人尋問に立ち会う機会を与えてその審問権を尊重しなければならないことは言うまでもない。しかし同条には『すべての証人』とあるけれども、それは被告人が喚問を欲するすべての証人を意味するものではなく、裁判所が必要と認めて尋問を許可した証人について規定しているものと解すべきであると同様に、『証人に対して審問する機会を充分に与へる』という規定の解釈にもおのずから合理的な制限が伴うものであつて……」

といい、

(4)　刑訴三二一条一項二号前段の調書と憲法三七条二項との関係につき、いわゆる春日事件の後記【65】判決は、

「憲法三七条二項は、裁判所が尋問すべきすべての証人に対して被告人にこれを審問する機会を充分に与えなければならないことを規定したものであつて、被告人にかかる審問の機会を与えない証人の供述には絶対的に証拠能力を認めないとの法意を含むものではない。されば被告人のための反対尋問の機会を与えていない証人の供述又はその供述を録取した書類であつても、現にやむことを得ない事由があつて、その供述者を裁判所において尋問することが妨げられ、これがために被告人に反対尋問の機会を与え得ないような場合にあつては、これを裁判上証拠となし得べきものと解したからとて、必ずしも前記憲法の規定に背反するものではない。」

といい、

(5)　刑訴三二一条一項二号後段の規定の合憲性に関する後記【71】判決は、

「憲法三七条二項が、刑事被告人は、すべての証人に対して審問する機会を充分に与えられると規定しているのは、裁判所の職権により又は当事者の請求により喚問した証人につき、反対尋問の機会を充分に与えなければならないという趣旨であつて、被告人に反対尋問の機会を与えない証人その他の者の供述を録取した書類を絶対に証拠とすることを許さない意味をふくむものではなく、従つて、法律においてこれらの書類はその供述者を公判期日において尋問する機会を被告人に与えれば、これを証拠とすることができる旨を規定したからといつて、憲法三七条二項に違反するものでない……」

といい、

(6) 検察官調書提出の時期に関する後記【72】判決は、

「憲法三七条二項の保障する被告人の反対尋問権を奪つたことにならない……刑訴三二一条一項二号は、伝聞証拠排斥に関する同三二〇条の例外規定の一つであつて、このような供述調書を証拠とする必要性とその証拠について反対尋問を経ないでも充分の信用性ある情況の存在をその理由とするものである。」

としているのである。以上の判例を概観すると、最高裁の憲法三七条二項前段に対する見解は、頭初は果してそれが被告人の審問権確保のための伝聞法則を認めるものが極めて明確を欠くものであったが、結局において、被告人の反対尋問権の確保を骨子とする伝聞証拠の排除を規定したものだとする当事者主義的な直接主義の考え方に落ち着いたものと見ることができる（高裁の判決には、この点を明確に論じたものがある。刑訴法は憲法三七条二項に基く伝聞証拠の性質を有する供述と書面とを原則として証拠とすることを禁じたものであるとする後記【67】判決参照）。

しかし判例の認める伝聞証拠排斥の法則には多くの例外のあることは後述のとおりであり、英米法における伝聞法則に比して極めて緩和された形態のものである。従って、伝聞法則がこのように例外の多いものであるならば、小野博士が提唱されるように理論的に無価値のものではないであろうか。そうであるならば、憲法三七条二項を大陸法的な直接審理主義の要請であると解すればよいのではないかという疑問が起るのは当然である。しかもなお被告人の権利の保護の観点からすれば、憲法三七条二項は被告人の証人審問権を保障するために伝聞法則を規定したものであるとする通説の見解が正当であることは、以下本稿の各項目において明らかにしたいと思う。

（二）　証人審問権の保障を欠いた場合の効果　被告人に対し証人審問権（これを機能的にみると反対尋問権）の保障を欠いた場合の証人の供述の証拠能力については、憲法は何らの規定を設けていない。しかし少くとも右の保障を欠いた証人の供述を証拠として被告人を有罪にすることは、憲法の許さないところであり、右の保障を欠く証拠は証拠能力がないものと解すべきである（小野等・コンメンタール六八三頁）。判例としては、まず応急措置法一二条の手続に違反した供述録取書等を事実認定の資料として採用した場合に、それが判決に影響を及ぼす効力について多数の判例がある。そして右の判例はいずれも右手続違反の判決を破棄しているが、その破棄の理由としては、三つに大別される。（イ）憲法三七条二項に違反するとするもの、（ロ）応急措置法一二条に違反するとするもの、（ハ）応急措置法一二条違反の供述録取調書を他の証拠とともに事実認定の資料にしたことが判決に影響を及ぼす手続違反になるとするものである。

（イ）　まず憲法三七条二項に違反するとしたものとして、次の判例がある。

【3】　「原判決は所論のように本件の事実を認定するに当り、Aに対する予審訊問調書を証拠として採っている。しかるに、本件記録によれば原審に於て弁護人は、右供述者Aを証人として訊問の申請をしているにか

かわらず、必要なしとして却下し、供述者を公判期日において訊問する機会を被告人に与えないで、前記訊問調書を証拠として採つたことは明かである。憲法三七条二項によれば、被告人はすべての証人に対して審問する機会を充分に与えられるのである。刑訴応急措置法一二条は、この憲法の趣旨にそつた新らしい規定であつて、事実審は厳格にこの規定を守らねばならないのである。しかるに原審はこの規定に違反したのであるから論旨は理由があり、原判決は破毀さるべきものである。」（最判昭二三・四・二一 集二・四・四一〇（応））。

この判決は、(一)予審尋問調書の供述者について証人尋問の請求があったのであるから応急措置法一二条の請求とみるべきであったこと（この点については後記【11】【12】判決参照）、(二)予審尋問調書の供述者につき証人として尋問請求があったのに、これを却下しながらこの予審尋問調書を証拠として使用したことは応急措置法一二条違反であるとして、原判決を破棄している。

応急措置法一二条一項が「これを証拠とすることができない」という意味は、証拠として取り調べること自体を禁ずる趣旨であるが、証拠説明の一部として判決に掲げることがこれに該当することはもちろんである。従って予審尋問調書を証拠として採用した原判決が応急措置法一二条一項に違反することは明らかである。しかし応急措置法一二条一項違反がすべて上告理由となり破棄の理由となるのではなく、当時の旧刑訴法によると、応急措置法一二条一項違反という法令違反があってもそれが判決に影響を及ぼすことが明白でない場合には上告の理由とならなかった（旧刑訴四一一条）。この判決はこの点を明言していないけれども、予審調書を取り調べただけでなく、判決に証拠として掲げたのであるから、判決に影響を及ぼすことは当然である。なおこの判決は、判文上明示してはいないけれども、前記の手続違反が単に応急措置法違反であるにとどまらず、憲法三七条二項違反として大法廷で審判している点に注意すべきである(平野・評釈集八巻二四三頁参照)。

【4】「憲法三七条二項によれば……と規定しているのであつて、刑訴応急措置法一二条一項は憲法三七条二項の規定そのものに淵源して設けられたことは明らかであると言わねばならない。尤も第二審裁判所の第一回公判期日において前示証人申請が却下せられた後第二回公判期日においては……公判手続が更新されており、而して右更新後の公判期日においては重ねて前示証人の申請はなかつたのであるが、右は弁護人としては同一構成による裁判所に対して重ねて前に却下された証人申請を繰返しても、再び却下せられるものと考えるのは当然である。従つて右更新後の公判期日において証人申請がなかつたからとて、上示証人申請を却下しながら遂に始末書を証拠に採つた第二審の措置は、前示刑訴応急措置法並びに憲法の各条項に違反するものと解するのを相当とする。原上告審は……憲法三七条二項に違反した違憲の判決であ……る。」(最判昭二三・一一・五集二・一二・一四八〇(応))。

この判決は、被害者を証人として申請したのにかかわらずそれを却下し、公判更新手続後その被害者の始末書をそのまま証拠にとったのは憲法三七条二項に違反する違憲の判決だとして、原判決を破棄している。応急措置法一二条と憲法三七条二項とは明文上同じ規定ではないけれども、刑訴法違反が同時に憲法違反となるというのである。しかしこのように刑訴法の規定が憲法の規定に淵源をもつということだけで直ちに憲法違反となるかについては、問題がある(伊達・「上告理由」実務講座XI二五一七頁参照)。

そこで斎藤裁判官は反対意見において、

「若し、多数意見のごとく憲法規定の内容を実現するために設けられた法律規定に反することがすなわち憲法の条規に反するものとすればすべての法律違反は尽く憲法違反となるであろう。例えば、社会福祉、社会保障及び公衆衛生に関する立法は憲法二五条の規定の内容を実現するために設けられ同条項に淵源するものであり、更らに、刑事訴訟法は憲法三一条の内容を、民事訴訟法は憲法三二条の内容をそれぞれ実現するために設けられるものであるからである。」

とせられるのである。

すなわち、憲法と同じ内容をもつ法律の違反があった場合に、法律違反が常に憲法違反であるとすればその法律は無用のものとなり、また斎藤裁判官の主張されるような不都合を生ずるのである。しかし逆にすべて法律違反にすぎないとすれば、憲法と同内容の法律を設けることによって、憲法による保障として特に与えられた保障を奪うことができることとなる。従ってこの中間に、同一違反でもそれが単なる法律違反として主張される場合は法律違反として取り扱えば足り、それが基本的人権の侵害として主張される場合には憲法違反として取り扱うべきであるという説も考えられる。しかし同一侵害が単なる法律違反の面と憲法違反の面との二面を持っているわけではない。従って、この三つの見解を比較すると、第一の常に憲法違反となりその法律は注意規定だとする説が正当と思われる(同旨・平野・評釈集八巻二四五頁)。この判決の多数意見が、応急措置法が憲法に淵源する法律だということから同法違反が直ちに憲法違反となるとしたのは確かに説明不充分といわねばならないが、結論としては正当と思う。

(ロ)　次に応急措置法違反として原判決を破棄した判決としては、次のものがある。

【5】　「原審における被告人の弁護人は公判で被告人のためXを証人として訊問されたき旨請求したところ原裁判所は右の請求を却下しながら同人に対する第一審裁判所の証人訊問調書中の供述記載を原判決の証拠として引用していること明かである。そして本件については、刑訴応急措置法一二条一項但書に当る場合とも認められないから原審は右法律一二条一項本文の規定に違反して法律上証拠とすることのできないものを証拠に

引用した違法のあること論旨の指摘するとおりである。されば……原判決を破毀すべきものと認める。」(最判昭二三・一二・一四集二・一三・一七六一(応))。

この判決は、検証現場において被告人の立会なくして尋問した証人尋問調書を、第二審公判廷で証人請求を却下しながら、証拠に採用したことは、応急措置法一二条一項本文の規定に違反した違法があるものとして破棄している。被告人に対して反対尋問の機会を拒否しながら、公判廷外の証人尋問調書を証拠としたことは応急措置法一二条一項に違反して、証拠とすることができない書類を証拠の一部として採用した訴訟手続の法令違反があるとしている。そしてこの判決も明言はしていないが右法令が判決に影響を及ぼすと解したものと思われる。なおこの判決と同旨の判決として、最判昭二二・一二・一五集一・八三がある。

(八)　応急措置法一二条違反の供述録取調書を証拠とした違法が判決に影響を及ぼすとした判決として、次のものがある。

【6】　「応急措置法一二条一項によれば、かかる聴取書につき被告人の請求があるときは、その供述者を公判期日において、訊問する機会を被告人に与えなければ、但書の場合の外これを証拠とすることができないものである。……しかも前記弁護人の証人申請理由につきては原審公判調書その他一件記録上何等知ることができないのであるから、反証のない本件においては、前記弁護人の証人申請は、聴取書の供述者たる同証人の訊問を請求したものと認めざるを得ない。そして本件においては、前記但書の場合に該当することも認められないから原判決が同人に対する聴取書を証拠としたのは、右措置法の規定に違反したものといわねばならぬ。しかも原判決は右証人の聴取書を他の証拠と綜合して被告人の判示事実を認定したのであるから、右違法は同事

実全部の認定に影響を及ぼすこと明白であり、従って本論旨はその理由があり、同被告人に対する原判決の部分は破棄を免れない。」(最判昭二四・三・一〇集三・三・二八一(応))。

この判決は、応急措置法一二条一項に違反する聴取書の証拠能力のないことを明言している。かような証拠に基いて事実認定がされたとすれば、それが爾余の証拠と綜合して認定されたか否かにかかわらず、当該書類に関する限り虚無の証拠による認定であることに変りはない。問題は上告審においてその他の証拠によって、原判決と同様の事実認定ができる場合にも原判決を破棄すべきか否かである(旧刑訴法当時の大審院判例では、爾余の証拠によってその事実を認定するに足るときは判決に影響なきものと解されていたことは周知のとおりである―大判昭七・四・一八集一一・四六七)。この判決においては、爾余の証拠により原審と同様の事実の認定ができたか否かを判断したのか、またそのような認定できる事案であったか明らかでないが、爾余の証拠により原審と同様の事実認定ができるか否かを問わずに応急措置法一二条一項の手続違反は判決に影響を及ぼすおそれがあるとして、旧刑訴四一一条により破棄したものと思われる(正田・評釈集一一巻一〇六頁参照。なお最判昭二八・一一・一七集七・二三七は、新刑訴法事件につき、証拠能力のない証拠を判決に摘示しても摘示にかかる他の証拠により事実を認定し得るときは四一一条に該らないとしている)。

【7】「従って、原判決は審級を異にした第一審の共同被告人の供述を録取した書類を被告人の請求があり、且つ他の法定の除外理由も認められないのに拘らず、その供述者を公判期日において訊問する機会を被告人に与えないでこれを証拠としたもので、まさに、応急措置法一二条一項に違反したものといわなければならない。しかも前に述べたように、その違法は証拠を他の証拠と不可分に綜合して認定の用に供したものであるから、その違法は判決に影響を及ぼさないとはいい得ないから、原判決は既に此の点で全部破毀を免れない。」(最判昭二三・二・九集二・二・五六(応))。

この判決も応急措置法一二条一項違反の供述録取書を他の証拠とともに事実認定の資料とした違法

は判決に影響を及ぼすとしたもので、前記【6】判決と同趣旨である。

以上の判決は、すべて被告人の証人審問権の保障を欠いた証人の供述（供述録取調書）は結局証拠能力を欠き被告人の有罪認定の資料とならないとする応急措置法時代の判決であるが、この点に関する新刑訴法下の判例としては、後記【43】判決が、

「控訴審で事実の取調の一方法として証人の尋問をし、これを裁判の資料とするような場合には、憲法三七条二項の刑事被告人の権利保護のため特に被告人をこれに立ち会わせてその証人を審問する機会を与えなければならないものと解するを相当とする。」

としているのは、正にこの見解を表わすものと解せられる。

二　証人審問権の主体

証人審問権の主体は、「刑事被告人」（憲法三七Ⅱ）である。この刑事被告人とは、判例によると、公訴の提起を受けた被告人を意味するのであり、公判期日または公判準備期日において証人尋問が行われる場合に、被告人に対して反対尋問の機会を一回与えれば、その証人のそれ以前の証言（供述録取調書等）はすべて証拠能力を存することとなり、一度反対尋問の機会を与えた供述録取書等はそれ以後の審級においても証拠能力を有することとなる。しかも、この場合の反対尋問の客体となる「すべての証人」というのは、裁判所の職権によりまたは当事者の請求により喚問した証人を意味する。以上が刑訴応急措置法当時の判例の見解であったが、この見解は新刑訴法の施行後の判例においても受け継がれたのである。このように考えると、証人審問権の主体の問題は、証人審問権行使の時期および回

数の問題となり、また公判準備期日（公判期日外、裁判所外）における証人審問権の問題となり、更に証人審問権の対象の問題とも関連を有することが明らかとなる。

従って証人審問権の主体の問題は、右の関連項目の各箇所において、述べることとする。

三　証人審問権の対象

証人審問権の対象は、「すべての証人」である（憲三七II）。判例は、この証人の意義について、刑訴応急措置法当時から、「裁判所の職権により又は当事者の請求により喚問した証人」というように極めて形式的かつ制限的意義に解していることは、前述のとおりである。しかも、判例によると、この形式的意義の証人に対して被告人の審問権行使の機会を与えれば、その証人の供述代用書面は証拠能力を有することとなるので、新刑訴法のもとにおいても、原則としては供述代用書面を証拠とすることを禁止しながら、刑訴法三二一条の現定の合憲性が認められ、かつその規定する供述代用書面が伝聞法則の例外として証拠能力を認められることとなるのである。

そこでまず、（イ）「すべての証人」の意義に関する判例について述べ、次に、（ロ）伝聞法則の例外として証拠能力を認められる供述代用書面（特に刑訴法三二一条一項二号の検察官調書）が証人審問権の対象となるかを問題とし、更に、（ハ）書面の意義が証拠となる証拠物も被告人の証人審問権の対象となるかを問題とする。

（イ）「すべての証人」の意義に関する判例は、次のとおりである。

【8】「憲法三七条二項に刑事被告人はすべての証人に対し審問の機会を充分に与えられると規定しているのは、裁判所の職権により、又は訴訟当事者の請求により喚問した証人につき、反対尋問の機会を充分に与えな

ければならないと言うのであつて、被告人に反対尋問の機会を与えない証人その他の者（被告人を除く）の供述を録取した書類は、絶対に証拠とすることは許されないと言う意味をふくむものではない。従つて刑訴応急措置法一二条において、証人その他の者（被告人を除く）の供述を録取した書類は、被告人の請求があるときは、その供述者を公判期日において尋問する機会を被告人に与えれば、これを証拠とすることができる旨を規定し、検事聴取書の如き書類は、右制限内において、これを証拠とすることができるものとしても憲法三七条二項の趣旨に反するものではない。

論旨は、公判において被告人に反対尋問の機会を与えたとしてもその尋問の結果を証拠となし得るに止り、検事聴取書そのものは被告人に反対尋問の機会を与えて作成したことにはならないからこれを証拠とすることはできないと主張するのであるが、右主張は憲法三七条二項は被告人に反対尋問の機会を与えない証人の供述録取書は絶対に証拠とすることは許されないことを意味するという独自の見解に基くものであるから、採用できない。

検事聴取書はいわば原告官たる検事が作成したものであるが、他の書類と同様一の訴訟資料として、公判において被告人に読聞けられるものであり、もし被告人に不審不満の点があれば、憲法上の権利として公費でしかも強制手続によつて其供述者の喚問を請求し、充分反対尋問をなし、其内容を明らかにすることができるのであるから、裁判官の自由なる心証により、これを証拠となし得るものとするも、被告人の保護に欠くるところはない。唯無制限にこれを証拠となし得るものとすれば、憲法三七条二項の趣旨に違反する結果を生ずる恐れがあるから、刑訴応急措置法一二条により、被告人の権益確保につとめているのであつて、右措置法の規定は憲法三七条二項の旨を承けたものであり、たがいに杆格するものではなく、これを無効とすべき理由はない、従つて原判決において検事聴取書を証拠として被告人に有罪を言渡したとしても何等違法はない。」（最判昭二四・五・一八集三・六・七八九（応））。

この判決は、検事聴取書で事実の認定をした原判決を攻撃し、反対尋問の機会を与えない証人の供述録取書類を証拠とし得る旨を規定した刑訴応急措置法一二条一項は憲法三七条二項に違反するという上告論旨に対して、応急措置法一二条一項を合憲とした判決である。この判決は、その理由として、(一)憲法三七条二項前段の「証人」とは、裁判所が職権により、または訴訟当事者の請求により喚問した証人の意味であること（第一段）、(二)被告人に審問の機会を与えない証人等の供述を録取した書類は絶対に証拠となし得ないものではなく例外のあること、従って検事聴取書も、その供述者が証人として喚問の請求がされない限り、そのまま証拠としても憲法違反でないこと（第二段）、(三)ただ検事聴取書を証拠とするには、証人要求権による制限があり、被告人が供述者を証人として尋問の請求をしたときは、その証人を尋問しなければ検察官聴取書を証拠とすることができないけれども、右供述者を証人として尋問の請求をしない限り、これを証拠としても憲法違反でないこと（第三段）を明らかにしている。

まず憲法三七条二項の証人をこのように形式的意味における証人と解するときは（この見解は後記【17】判決にもあらわれている）、裁判所外において検察官や司法警察職員の面前で供述しまたは供述書を作成しただけで一度も証人として尋問を受けない者は、憲法三七条二項前段の証人の中に含まれないから、これ等の者に対する検察官または司法警察職員作成の供述調書やこれ等の者の供述書も、被告人が公判準備または公判期日において改めてその供述者を証人として喚問すべきことを裁判所に請求し、裁判所がその請求を容れてその者を証人として喚問しない限り、その供述書または供述録取書を証拠としても憲法違反でないこととなる。憲法三七条二項の証人の意義を形式的意味の証人と解するこの判例に対しては有力な反対説(田中・証拠法一三七頁)がある。憲法の同条項を判例のように理解することは、余りに形式的条文解釈であるから、私も右の反対説の説くように、右条項の証人とは、「裁判所がその証言を証拠に採用するすべての証人」の意味に解すべきものと思う。

次に最高裁判所は、憲法三七条二項は聴取書または供述に代わる書面をもって証人に代えることを絶対に禁ずる趣旨ではないとするが、その例外を認めるには相当合理的な根拠がある場合でなければならない。しかるに判例が例外として認めるところには殆ど合理的な理由が認められず、被告人が検事聴取書等に不審不満があるときは憲法三七条二項後段の証人要求権に基いてその供述者を証人として喚問の請求をすれば足るというのであって、このように例外の場合を広く解し聴取書または供述書の証拠能力を認めることは、被告人の証人審問権を極めて無力なものとする。

またこの判決は、第三段において、憲法三七条二項前段の「証人」を形式的意義に解しても、同項後段の証人要求権によって補充されるから被告人の保護に欠けるところはないとしているが、これは証人を審問する機会を得る責任を被告人に転嫁するものであり、また反対尋問は主尋問に引き続いて行うことによって真の価値を発揮するものであるから、聴取書を作った時から後の公判期日において供述者を尋問することができても、充分に反対尋問の機会を与えたとはいえない(田中・証拠法一三九頁)。そればかりでなく、最高裁判所の憲法三七条二項後段の証人要求権に関する判例は、裁判所が被告人の欲するままにその請求する証人を喚問しなければならないとはしていないから(後記【91】以下判決参照)、本判決の説明は充分とは解せられない。

ところがこの判例の見解は、その後新刑事訴訟法下の判例にも引き継がれ、刑訴三二一条一項一号、二号の供述調書の合憲性を肯定する判例（後記【30】【65】【71】判例）への系譜をなすに至ったことは前述のとおりである。

最高裁判所の右判例の趣旨に従った高等裁判所の判例として、次のごときものがある。

【9】「憲法三七条二項が、刑事被告人はすべての証人に対し審問の機会を十分に与えられると規定しているのは、裁判所の職権により、又は訴訟当事者の請求により、喚問した証人につき反対尋問の機会を十分に与えなければならないというのであつて、作成の際被告人に反対尋問の機会を与えない証人その他の者（被告人を除く）の供述を録取した書類は絶対に証拠とすることは許されないという意味を含むものではない。本件において、原審は証人Aを公判廷に喚問して、被告人に同人を尋問する機会を与え、その供述をAに対する検察官の供述調書を対比し、後者を証明力ありと認め、且つ右検察官の供述調書は弁護人が原審公判廷において証拠とすることに同意したものであり、その作成又は供述されたときの情況を考慮し、相当と認めてこれを証拠としたものであることは記録上明らかであつて、Aの公判廷における供述と、右供述調書中の供述記載のいずれを採るかは、証拠の取捨選択一般の場合と同じく原審の専権に属するものであるから、所論のように原審が右供述調書中の記載を証拠としたことを以て採証の法則に反したものということはできない。しこうして検察官の右の供述調書そのものが、被告人に反対尋問の機会を与えないで作成されたものであるから、証拠とすることができないとの所論は、憲法三七条二項は被告人に反対尋問の機会を与えない証人の供述調書は絶対に証拠とすることは許されないことを意味するという独自の見解に基くものであるから採用できない。」（東京高判昭二五・三・一一特一六・四二(新)）。

この判例は最高裁判所の判例の理論をそのまま踏襲しているのであるが、本件の場合は検察官の供述調書を証拠とすることに弁護人の同意があった場合であるから、被告人の反対尋問権の保障としてはその点から問題のなかった事件である。

【10】「憲法三七条二項において刑事被告人はすべての証人に対し審問の機会を十分に与えられる旨規定しているのは、裁判所の職権によりまたは訴訟当事者の請求により喚問した証人の尋問実施に際し、被告人の利益を保障するため直接に反対尋問の機会を十分に与えなければならないという趣旨に外ならないのである。従つて被告人に尋問の機会を与え得ない者の供述を記載した書類とか任意性検討の方法のない書類を証拠とすることを禁じた意味はないのであり、かかる書類を証拠として取調べ得るかどうかは専ら訴訟法上の解釈問題であつて、憲法上の問題ではないから、所論証拠を証拠に供したこと自体は何等憲法に違反するところはないものというべく、この点に関する所論は全く採用するを得ない。」（大阪高判昭二六・三・七特二三・四五（新））。

この判決も、憲法三七条二項前段の証人の意義を最高裁の判例に従って、形式的意義における証人と解し、同条項は被告人に反対尋問の機会を与えなかった供述録取書等の証拠能力を禁ずる趣旨ではないから、供述録取書の証拠能力は訴訟法上の解釈問題であるとしている。しかし、この場合の訴訟法上の解釈問題は、憲法の解釈問題と密接不可分の関係にあるというべきである。

（ロ）伝聞法則の例外として刑訴法三二一条一項二号の検察官調書を採用する際にこの調書の記載内容に対して被告人の審問権を行使させることを要するか否かについては、これを否定する学説もあるが通説ではない。これに関する判例は、後記「検察官調書取調の時期」の項（後記【72】ないし【74】判決）で述べる。

（ハ）ある書面が証拠物であることを理由に伝聞法則の適用を排除し、被告人の証人審問権の対象にならぬという見解があるが、判例はこれを否定する。この点については、後記「証人審問権と書面の意義が証拠となる証拠物」の項（後記【78】【79】判決）において述べる。

四　証人審問権の内容

証人審問権は、「充分に」行使する機会を与えられなければならない。それは充分に保障すればよいので例外がないわけではない。証人審問権はいかなる条件の下にいかなる範囲に及ぶかの問題を証人審問権の内容とし、この問題を、（一）証人審問権行使の条件、（二）証人審問権行使の時期、（三）証人審問権行使の場所、（四）伝聞法則の例外の四項目に分説する。

（一）証人審問権行使の条件　被告人の証人審問権行使の条件を、(1)証人審問権と被告人の請求との関係、(2)裁判所が証人審問権の存在について被告人に告知することを要するかの問題、(3)証人審問権と訴訟指揮との関係の三項目に分けて説明する。

(1)証人審問権と請求　まず、（イ）刑訴応急措置法一二条一項の請求と証人尋問の請求（旧刑訴三四四条）との関係が問題となり、次に（ロ）証人審問権と被告人の請求との関係が問題となる。

（イ）刑訴応急措置法一二条一項の請求と証人尋問の請求との関係については、次の判例がある。

【11】「刑訴応急措置法一二条一項によると証人その他の者（被告人を除く）の供述を録取した書面又はこれに代わるべき書類は被告人の請求があるときは、その供述者又は作成者を公判期日において訊問する機会を被告人に与へなければこれを証拠とすることができないと規定しておる、そして右規定による被告人の請求は刑訴法上如何なる方式で行わなければならないかについては別段の規定はないが刑訴法の規定に基づき供述者又は作成者を証人として訊問請求をしたときは前記応急措置法一二条一項の規定に基づく供述者又は作成者の

訊問の請求があつたものと解するのが妥当である。従つて……本件において原審弁護人は被害者Aを証人として申請したのであるからAを予審における供述者としてその訊問の請求があつたものと解すべきである……しかるに原審はこれを為さず右訊問調書の記載を証拠の一部に採用しているのであるから被告人の享受すべき権利を阻止した違法があるから……原判決は破棄を免れない。」(最判昭二三・一一・二六集二・一三三二(応))。

この判例は、証人尋問の請求と刑訴応急措置法一二条一項の請求とは一応別個のものとみている。しかし後者については、特に方式が規定されていないから、供述者の証人尋問の請求があったときは、当然本条の請求があったものと解するのが立法趣旨からいって当然である。証人尋問の請求は旧刑訴三四四条の請求であるが、同時に応急措置法一二条一項の請求としての意味をもつのである。もしそれが旧刑訴三四四条の請求の意味しかないとすれば、その許否は裁判所の裁量に属するが、応急措置法一二条一項の請求である以上――その供述録取書を証拠にするためには――その請求を容れなければならないのである(団藤・判例研究一巻三三頁)。

【12】「原審第一回公判期日において被告人の弁護人Xが証人として喚問を申請した……Aを却下するとの決定を言渡した……のである。してみると、右Aの供述を録取した書類又は同人が作成した始末書……は刑訴応急措置法一二条一項本文の規定により、……証拠とすることができないものである。……にもかかわらず原審は、右のように、同人喚問の申請を却下しておきながら、その作成提出した始末書の記載を罪証の一部として採つている……かくの如きは……応急措置法一二条一項に違反したものであつて、論旨は理由があり、原判決は破毀を免れない。」(最判昭二三・六・一集二・七・六一三(応))。

本判決は、応急措置法一二条による請求と証人尋問請求とを同一のものと考えているようにみえる。しかし、正確にいうと両者は本来同一のものではない。一方は裁判官による尋問の請求であり、一二条による請求は、被告人自身が尋問するための請求である。前者は裁判官の裁量により却下されるが、後者は前述のとおり、拒絶できない。ただ一二条の請求には特に方式が定められていないから証人尋問の請求には一二条の請求も包含されると解するのが相当である（同旨・平野・評釈集九巻二頁）。

（ロ）次に被告人の証人審問権は、裁判所または検察官が進んでそれを行使する機会を与える必要はなく、被告人から請求があってはじめて与えればよいとするのが判例の見解である。このことは既に前記【1】および【2】の判決が判示しているところであるが、更に次の判例がある。

【13】「原審が所論のようにA及びB並びに警部補Cを職権で以て証人として喚問しなかつたとしても、それはその必要を認めなかつたに外ならないのであつて……憲法三七条二項が刑事被告人はすべての証人に対し審問する機会を充分に与えられる権利を有するといつているのは、裁判所自身が必要と認めないすべての関係人を論旨のように職権で以て証人として採用し、被告人に直接訊問する機会を与えなければならないという意味のものとは解せられない。しかして原審公判調書によれば、本件においては、原審裁判長は、証拠調終了後被告人に対し、更に利益となる証拠があれば提出することができる旨を告げたのであるが、被告人及び弁護人においては、所論のA及びBは勿論のことC警部補さえも証人として尋問の請求をしなかつたことは明白であるから、原審がそれらの者を職権で以て証人として喚問し、被告人に直接訊問の機会を与えなかつたからといつて、この措置を目して憲法三七条二項に違反するということはできない。」（最判昭二三・七・一四集二・八・八五六(応)）。

この判決は、殺人および殺人未遂事件において、原裁判所が被害者の子供A、Bおよび被告人を取り調べた警察官Cを証人として喚問しなかったことを攻撃した上告論旨に対する判決である。そして

A、BおよびCのいずれも被告人および弁護人から取調べの請求があった訳でもなく、またこれらの者に対する供述録取書等が原判決の証拠として摘示されているのでもない。原審がこれらの者を職権で証人として取り調べなかったのは、その必要を認めなかったからと思われる。

このような場合にまで、裁判所は職権で証人の喚問をして被告人に直接尋問の機会を与えなければならぬとする上告論旨は、応急措置法一二条一項の明文以上に証人審問権の行使を要求するものである。この判決は、上告論旨を斥け、証人審問権は被告人および弁護人の請求のある場合に与えれば足りるとしたのである。証人審問権の本質を前述のとおり当事者主義の要請であると解するならば、被告人がこれを請求しない場合にまで与える必要はないと解してよいであろう。

【14】　「憲法三七条二項は……と規定しているのであつて、裁判所の職権喚問の場合を除き、訴訟当事者の請求しない証人を喚問し審問の機会を与うる趣旨のものではないことは明瞭と謂わねばならぬ。次に所論刑訴応急措置法一二条一項本文は、被告人から請求があるときは、裁判所はその書類の供述者又は作成者を公判期日に喚問し、被告人に之が訊問の機会を与えなければ、裁判所はその書類を証拠とすることができないと規定しているのであつて、従つて反面において、被告人の右の請求がないときは、裁判所はその書類をその儘証拠とすることができるとの趣旨であることは極めて明白である。而して本件は弁護人から一旦証人の喚問を請求したが、その後請求を抛棄したのであるから、抛棄以後は始めから請求のなかつた場合と同一に見て差し支えないものと謂わねばならぬ。而して以上の立法理由を按ずるに、被告人は必要と認むれば無条件で右請求権を行使することができ、殊に所謂憲法三七条二項の規定によつて公費且つ強制手続に依つて之が請求権を維持行使することができるのに、之を行使しないのは、即ち被告人はその必要を認めないものと解すべきであるから、此の場合は裁判所がその儘これを証拠にとつても、何等被告人の権利を害するものではないとの見地に立つて

おるものであることは疑いを容れない所であろう。然らば既に喚問され、又は喚問を必要とされる証人の場合であることを対象とする憲法三七条二項と右刑訴応急措置法一二条一項とは、這間何等の杆格を生ずる法条ではないのである。」（最判昭二三・七・二九集二・七・一〇五二（応））。

この判決は、恐喝被告事件において、被告人が被害者を一旦証人として喚問を請求したが、その後請求を拋棄したため、裁判所が、その証人を取り調べることなく、同人に対する検事調書を証拠として判決に摘示した原審判決に対して、弁護人から上告がなされたのに対する判決である。上告論旨は、応急措置法一二条が被告人の請求により証人審問の機会を与えると規定しているのは憲法の精神に反する。原審公判において弁護人請求の証人が出頭しなかったので、止むなくこれを拋棄したため尋問の機を得ず結審されたのであるから、裁判所は以前の検事聴取書で被告人に不利益な事実の認定をすることはできぬというのである。

これに対して、判決は、応急措置法一二条一項が被告人から請求のないときは、検事聴取書の供述者を公判期日に喚問することなく証拠とすることができるとしたことは、憲法三七条二項に反しないとしたのである。

前記【13】判決で述べたとおり、証人審問権は当事者主義の要請であるから、本件のように被告人がその権利を行使しないときにまで、裁判所としては、職権で証人を喚問する必要があると認めない限り、証人を直接公判廷に喚問する必要はないと解せられる。ただ被告人の権利不行使ということが、応急措置法一二条のように単にその請求がないというだけで足りるか、新刑訴法三二六条のように同意があってはじめて認められるかは問題であるが、前者の場合でも違憲という程のことはないと思われる。ただこの判決の場合は、証人不出頭のために「止むなくこれを抛棄し」たというのであるから、この点にやや疑問があるが、単に証人が出頭しなかったために抛棄したのであれば、被告人が任意に証人審問権を行使しなかったと認められるから、判旨は正当と考えられる（同旨・香川・評釈 集九巻二七〇頁）。

【15】「論旨は、前記A及びBに対する検事の聴取書中で、同人等が供述した事実については被告人が否認しているのであるから、同人等の供述を証拠とするためには、公判廷に前記両人を証人として喚問すべきであると云うのであるが、本件に対し仮りに所論のごとく刑訴応急措置法第一二条の規定の適用があるとして、それに照して第二審判決を判断するとしても裁判所には証人尋問をすべき職務はなく、被告人から証人尋問の請求がなければ、その供述を録取した書類を証拠にとつても差支えないことは、既に当裁判所の判例とするところである（昭二三・七・一九大法廷—前記【1】判決・筆者注）。そして本件においては、かかる証人尋問の請求はなかつたのであるから、論旨は理由がない。」（最判昭二三・一一・一七集二・一二・一五六五（応））。

この判決も、被告人から証人尋問の請求がない以上、その供述を録取した検事の聴取書を有罪の証拠としても応急措置法一二条一項に違反しないというのであり、前記【1】判決を引用している。前記【14】判決と全く同趣旨の判決である。

【16】「憲法三七条二項は、証拠手続として、憲法上必ず被告人を立会わせて直接審理のみを行うべく、従つて、被告人の請求の無い場合でも、常に現実に被告人の反対訊問に曝らされない証人の供述又はこれに代わるべき証拠書類を証拠とすることを憲法上絶対に禁止した規定であるとすることはできない。されば刑訴応急措置法一二条一項の規定を以て右憲法規定の趣旨に違反又は矛盾するものとすることはできないことは既に当裁判所の判例とするところである（昭二四・五・一八大法廷—前記【8】判決・筆者注）。そして本件では所論始末書又は被害届について原審公

判廷でその作成者を訊問することを得る旨告げられたにかゝわらず被告人並びに弁護人はこれが請求をしなかつたこと記録上明らかであるから、原審がこれを証拠としたからといつて、違法であるということはできない。」(最判昭二五・九・二七集四・九・一七七五(応))。

この判決は、(一)憲法三七条二項は、直接審理主義を徹底しているものではなく、被告人に審問の機会を与えない証人の供述またはこれに代わる証拠書類を絶対に証拠となし得ないものではないことのほか、(二)被告人から始末書、被害届の作成者の尋問請求がない場合には、これを証拠としても違法でないことを判示している。

(一)の点は、前記【8】判決第二段と同趣旨であるが、「憲法三七条二項は、……必ず被告人を立会わせて直接審理のみを行うべき……規定であるとすることはできない」としている点は、被告人の証人審問権の本質に関する前記【1】の判決が「憲法の諸規定は将来の刑事訴訟の手続が一層直接主義に徹せんとする契機を充分に包蔵している……」とした文言とうらはらをなす表現であり、証人審問権の本質に対する最高裁の見解を示すものである。

以上【13】ないし【16】の判例は、いずれも刑訴応急措置法当時の判例であり、供述録取書類は被告人の請求によりその供述者を公判廷において取り調べた上でなければ証拠としえないが、その反面右の反対尋問の機会が与えられている限りは(現実に証人尋問の請求をせず、または証人尋問の際その点の反対尋問がされていなくとも)これを証拠となしうるとし、これが憲法三七条二項に違反するものではないとするのである。すなわち、当該供述者に対する反対尋問の機会を与えさえすれば、当該供述が反対尋問にさらされているか否かを問わず憲法三七条二項に反しないと解している点が注目されねばならない。

(2) 証人審問権の告知　上述のとおり、被告人の証人審問権は、被告人から請求があるときにのみその行使の機会を与えればよいというのが最高裁判所の判例であるが、それでは、裁判所には被告人に対し審問権の告知をする義務があるであろうか。最高裁判所は、その義務のないことを繰り返し判示している。

【17】「刑訴応急措置法一二条に規定している供述者又は作成者の訊問を請求する権利のあることを公判において被告人に知らせてその注意を喚起することは右法律が新に施行せられた際でもあるから裁判所として親切で望ましい措置ではあるが、これを法律上の義務と解することはできない。」(最判昭二三・一二・二四集一・一〇九(応))。

刑訴応急措置法一二条一項は、憲法三七条二項の規定を受けたものであるから、「審問する機会を充分に与える」ように解釈しなければならない。これは被告人に証人審問権の機会を実質的に充分保障しなければならないことを意味するのであるから、裁判所が証人尋問の請求権のあることを必ず被告人に告知する義務までも認めるものではないと解せられる。従って判旨は正当と思われる(同旨・高田・評釈集七巻二三八頁)。

【18】「刑訴応急措置法一一条二項によれば、被告人は共同被告人のいる事件においては、公判期日において、裁判長に告げれば、その共同被告人をも自から訊問できること所論のとおりである。従つて、その訊問の時期や順序などについては、むろん、裁判長の訴訟指揮に従わねばならぬとしても、自から直接に共同被告人を訊問したいと考えたときには裁判長に告げて、その欲する事項について共同被告人を訊問することができ、

また訊問すればよいのであつて、右の一一条二項の規定があるからといつて、進んで裁判長から被告人に対し共同被告人を訊問することができる旨を告げ知らせて、積極的にその審問を促すということは、望ましいことではあろうが、そうしなければならない義務を定められたものではない。」(最判昭二三・二・二一集二・二・一一四頁(応))。

この判決は、応急措置法一一条二項の被告人の証人尋問権について、裁判所に告知義務のないことを判示している。なおこの判決が、被告人の証人尋問の時期や順序については裁判長の訴訟指揮に服することを明らかにしている点は注目に値する。

【19】「刑訴応急措置法一二条は、憲法三七条二項の法意を受けて、証人その他の者の供述を録取した書類又はこれに代るべき書類については、被告人が公判期日において、その供述者又は作成者を訊問することを請求し得る権利のあることを予想して、右の請求のあつたときは、裁判所はその訊問の機会を与えなければ、かかる書類を証拠とすることができない旨規定したのではあるが、必ずしも裁判所に対して、被告人に右証人訊問の請求権あることを告知し又はその権利行使を促すべき義務を負担せしめたものでないことも亦法文上明らかである。尤も右応急措置法の規定は、憲法の実施に即応して新に制定され、その施行後まだ間もないことで往々前示のような権利のあることを知らない被告人もあり得るのであるから、殊に弁護人の附されていない場合にあつては、裁判所は進んで被告人に対して、これを告知するのが懇切な訴訟指揮として推奨せらるべきことであろうけれども、かかる措置に出でなかつたということを目して違法なりということはできない。」(最判昭二三・四・八集二・四・三一六(応))。

この判決も、裁判所に証人審問権の告知をすべき義務のないことを明らかにしているが、被告人に弁護人のないような事件については、これを告知することが懇切な訴訟指揮であるとしている点が注目されるべきである(佐藤(亮)・評釈集八巻一八六頁)。

これらの外にも同旨の判決がある（最判昭二三・三・九集二・三・一四〇―平出・評釈集八巻九六一頁、最判昭二三・六・二三集二・七・七一五）。以上の判決は、すべて刑訴応急措置法当時の判決で、新刑訴の施行後においては、このような判決は見当らない。応急措置法実施の頃は、前記判例のいうとおり、証人審問権の存在について、これを知らない被告人もあり得たと思われるけれども、新刑訴法施行後においては、弁護人のつかない事件は殆どなくなったこともあって、証人審問権の告知の要否という問題は、訴訟の実際において論議する必要が殆どなくなったからである。

(3) 証人審問権と訴訟指揮　訴訟指揮は迅速公平な裁判を目的とし、これに到達するための手段として行われる訴訟行為である。迅速公平な裁判の実現は国家的要請であるとともに、被告人の利益のためにも必要であるから、憲法の保障するところである（憲法三七I、刑訴法一）。この訴訟指揮と被告人の証人審問権とはいかなる関係に立つかが問題となる。刑訴法は、裁判長が訴訟指揮として行う尋問陳述の制限について、訴訟関係人の本質的権利を害してはならないと規定している（法二九五）。被告人の証人審問権が右の本質的権利に含まれることは疑いがないから、訴訟指揮によって被告人審問権を侵害してはならないことは明らかである。

この点に関する判例としては、まず、前記【18】判例が、尋問の時期や順序などについては裁判長の訴訟指揮に従わねばならぬ旨を判示している点が注目されるが、更に次の判例がある。

【20】 「抗告人等は、公判廷で証人Xに対し、抗告人（被告人）が、『証人は果して良心的にAやBの取調べに当ったか』と訊問したところ、植村判事はこの間を制止し憲法が被告人に保障する証人訊問権を侵害した

と主張するから按ずるに、被告人の証人に対する正当な訊問を不当に抑制することは勿論右憲法の規定に反するものであるが、被告人のする如何なる訊問をも許さなければならないものではない。その事案の審理に必要ないか又は適切でないと認められる質問は裁判官において之を制止しても差支えない。従つて植村判事が被告人の所論の如き質問を制限した事実があつたとしても、直ちに被告人の訊問権を不当に制限したものとはいえない。」（最決昭二五・四・七集四・四・五一二(旧)）。

この判決は、被告人の証人に対する正当な尋問を不当に抑制することは憲法三七条二項に反するが、事案の審理に必要でないか、適切でない尋問は制止しても差支えないとするのである。証人審問権も絶対無制限にその行使が許されるべきではなく、訴訟の目的に照し不必要、不適切な証人尋問が訴訟指揮権に服することは、権利に内在する制約として当然のことである。ただ具体的にいかなる被告人の質問が事案の審理に不必要、不適切であるか慎重に決定されなければならないが、この判決の場合に制限された抗告人の尋問は証人に対する威嚇的または侮辱的な尋問とみられるから、裁判官がこれを不適切、不必要な尋問としたのは正当であると考えられる。

【21】「憲法三七条違反を主張する論旨は、第一審及び原審において、法廷外の証人尋問に被告人に立会わせなかつたこと、並びに原審において証人X取調の際十分に審問の機会を与えなかつたことを理由とする。しかし本件のように被告人が勾留されている場合、裁判所が弁護人に対し証人尋問の日時場所等を通知して立会の機会を与え、証人審問権を実質的に害しない措置を講じたときは、必ずしも被告人自身を立会わせなくても前示憲法の規定に違反するものでないと解すべきことは、当裁判所大法廷の判例とするところである。また記録によれば、証人X取調の際裁判長は被告人に事件に関連性のない発問を許さなかつたことが認められるが、裁判長がこのような訴訟指揮権に基く処置はなんら被告人の証人審問権を実質的に制限するものではないから

同じく前示憲法の規定に違反するものではない。」（最判昭三〇・四・六集九・四・六六三(応)）。

この判決は、いわゆる帝銀事件に関する判決で、裁判長の事件に関連性のない尋問を制限した訴訟指揮は被告人の証人審問権を実質的に制限するものではないから、憲法違反ではないとするのである。事件に関連性のない尋問でもこれを制限することが被告人の本質的な権利を害する場合はそれを制限することは許されない（法二九五）わけであるが、本判決は事件に関連性のない発問の禁止が証人審問権の実質的制限にならないことを明示したのである。すなわち、この判決は、被告人の憲法上の証人審問権がどの範囲まで認められるかを事件の関連性との関係で説明した点で重要な意義を有するのである（同旨・高田・解説・昭三〇・一〇九頁）。

なお、被告人が訴訟指揮によって、退廷を命ぜられた場合の証人審問権については、後記「被告人退廷の場合における証人審問権」の項で述べる。

(二)　証人審問権行使の時期　被告人審問権は、被告人の請求のあるごとに、訴訟の各段階において与えねばならないかが問題となる。被告人の証人審問権を最もよく行使させるためには、被告人の立ち会っている公判廷において証人尋問を行い、証人の供述している際に被告人に直接反対尋問をさせることとし、右の公判廷における証言でなければ証拠にならないとすることが、被告人にとって最も利益であることはいうまでもない。しかし判例は、被告人の審問権行使の時期についても合理的な制限があるとするので、被告人の証人審問権は各審級ごとに与えなければならぬものではなく、控訴審を通じて一回与えれば足るとするのであり、また必ずしも証人の供述が行われている際に被告人の審問権を行使させることを要しないとする見解をとっている。

(1)　証人審問権行使の時と回数　　まず、憲法三七条二項は証人尋問の時期までも規定したものでないとする次の判決がある。

【22】　「所論は裁判長の被告人に対する個々の尋問に対する被告人の供述が他の共同被告人に不利益であったにもかかわらず裁判長がその都度当該他の共同被告人に反対尋問するように注意しなかつた措置は被告人の証人に対する基本的権利を規定した憲法三七条二項に違反し無効であるというに帰する。しかし同条項は、刑事被告人は、すべての証人に対して尋問する機会を充分に与えられる権利を有する旨規定しているに過ぎないのであつて、所論のような形式や時期までも規定したと解すべきものではない。」（最決昭二五・三・六集四・三・三〇九(旧)）。

本件は、裁判長の処分に対する異議却下決定に対する特別抗告事件の決定である。弁護人は、裁判長が被告人に対して共同被告人を反対尋問する機会を与えなかったことに対し、「憲法三七条にいわゆる証人には共同被告人も包含しているのであり、同法条の保障する反対訊問は右の法廷では全然行われなかったのであるから、裁判長のこれに関連する個々の処分は凡て違憲である。」として、特別抗告を申し立てたのである。これに対し、最高裁判所は、憲法三七条二項は反対尋問の時期や方式まで定めたものでないから、反対尋問の機会は証人尋問終了の都度与えなくてもよいとしたのである。

しかし、反対尋問は直接尋問につづいて直ちに行わなければ充分な効果を発揮することができないのであるから、反対尋問を直接尋問終了後著しく日時が経過してから一括して与えるというようなことは、訴訟手続違背となるばかりでなく、場合によっては憲法違反の問題が生ずる余地がないとはいえないと思う。

この判決は、旧法当時の判例であるが、交互尋問に関する規則の制定された現在においては、右のような措置が訴訟手続違背となることは明らかである。

次に証人尋問の時期に関して、判例は、(イ)第一審の公判期日においてこれを与えれば、控訴審で与えなくてもよいとし、(ロ)右の趣旨をおし進めて公判準備期日で与えている場合も、公判廷または控訴審で与える必要はないとする。(ハ)問題は、捜査の段階でこれを与えた場合である。判例は、刑訴法二二六条および、二二七条による証人尋問の場合には、裁判官の面前で行われることに信用性の情況的保障があるとし、反対尋問権を行使させたか否かは問題としないのである(後記【38】判決参照)。

(イ) 第一審の公判廷で証人審問権を行使させておれば、控訴審においてはこれを行使させる必要がないとする判例は、次のとおりである。

【23】「証人については、被告人側から申請のあった者を総て調べなければならぬという訳のものではなく事案との関係の親疎、遠近、重要性の有無及び程度その他諸般の事情を考慮して、事実審が適度に取捨選択することができる。弁護人の申請した証人Aは既に第一審公判において訊問されておるから再度取調の必要を認めなかったのであろうし、又他の二名についても事案に直接関係薄きものとして訊問の必要を認めず却下したものであろう。前記Aについては、弁護人の証人申請を却下しながら、同一人に対する第一審第二回公判調書中の供述記載を証拠として採用している点において、刑訴応急措置法一二条に違反する疑をいだく者があるかもしれない。しかしながら、同条に「証人の供述を録取した書類」という中には、公判における証人の供述を録取した公判調書は、含まれないものと解すべきである。なぜならば、かかる証人の供述は、公正な公判において被告人の訊問する機会が当時既に与えられたからである。論旨は結局原審の裁量権に属する証拠の取捨を非難するものであるから、上告適法の理由となし難い。」(最判昭二三・六・一〇集二・七・六六四(応))。

この判決は、(一)被告人側から申請のあった証人はすべて調べなければならないものではないこと(この点は証人要求権の項で後述する)、(二)公判廷における証人の供述を録取した公判調書は刑訴応急措置法一二条一項の「証人その他の者の供述を録取した書類」中には含まれないから、第二審において証人に対する被告人側の尋問請求を却下しながら、同証人に対する第一審公判調書中の供述記載を証拠として採用することは、右応急措置法の規定に違反しないとするのである。このことは、証人審問権は控訴審を通じて一回行使させればよいことを意味している。

右の判旨(二)の理由として、公判廷における証人の供述は、公正な公判廷において被告人に対し証人審問権を行使する機会が与えられているからというのである。

被告人の証人審問権の本質について、裁判官の側からする職権主義的な直接審理主義を意味するものと解するときは、たとえ第一審公判において被告人に反対尋問の機会を与えているにしても、二審においては、第一審の公判調書を取り調べるだけでは充分でなく、直接裁判官の面前で再び証人を取り調べることが必要となるであろう。しかし証人審問権を当事者主義の要請と解し、憲法三七条二項に基く刑訴応急措置法一二条一項を被告人の反対尋問を確保するための規定であると解するときは、公判において被告人に反対尋問の機会を充分に与えた証人の供述を録取した公判調書は、同法一二条一項の「証人の供述を録取した書類」の中に含まれないと解することができるのである(伊達・評釈集九巻四二一頁は、公判における証人の供述を録取した公判調書も措置法一二条一項の「証人の供述を録取した書類」に含まれるが、同条の趣旨から同条が適用されないとしている)。

【24】「記録を調べてみると、第二審公判期日に弁護人から証人Aの尋問の申請をしたが……却下している。

……そして第二審判決は前記公判調書中の証人Aの供述記載を証拠として採用している。論旨は、この証拠の採り方を問題としたのである。しかし同証人の供述は公判廷外のものではなく第一審の公判廷において被告人の面前でなされたものであるから、被告人はすでにその供述の内容を知り悉しおり、被告人にはすでに同証人尋問の機会は与えられているのである。従つて、第二審において同証人の申請を却下しておきながら、その供述記載を証拠によつても、別段刑訴応急措置法一二条又は憲法三七条二項に違反するものと云うことはできない（昭二三・六・一〇第一小法廷—前記【23】判決・筆者註）。さればこの点に関する第二審判決及びこれを是認している原上告判決は結局正当だということに帰着する。」（最判昭二四・三・三一集三・三・三九五（応））。

この判決も、それが引用している前記【23】判決と全く同趣旨の判決で、公判廷において被告人の面前でした証人の供述を録取した第一審公判調書中の記載は、第二審において更に右証人の尋問請求があり、これを却下した場合においても第二審判決の証拠とすることができるとするのである。すなわち、被告人の証人審問権は控訴審を通じて一回与えれば、その機会を充分に与えたことになるとする趣旨である。

【25】　「原審は、被告人に対する本件審理において弁護人から申請したAに対する証人尋問の請求を却下して、第一審裁判所が証人として尋問したAの供述を記載した第一審公判調書を証拠に採用した……しかしながら、㈠事実審たる裁判所が公判において事件を審理するに当つて、証拠調の限度をいかに定めるかは、裁判官の事件に対する心証の如何による自由裁量の問題である。本件について記録を調べてみても、原審が所論の証拠調の請求を却下したことが、論旨に言うように、自由裁量の範囲を逸脱したものとは認められず、また審理不尽の違法あるものとも認められない。㈡所論のAは第一審裁判所の公判廷において証人として尋問されたのであるから、被告人及び弁護人は、右証拠調に立会つて証人に対して審問する機会を充分に与えられたのであ

る。そればかりでなく、すべての証人に対して審問する機会を被告人に保障した憲法三七条二項は、被告人側の申請にかかる証人のすべてを取調ぶべき義務を裁判所に課したものではなく、裁判所がその必要を認めて尋問を許可した証人について規定したものであることは、当裁判所の判例の示すところである（昭二三・六・二三大法廷—後記【91】判決・筆者注、昭二三・七・二九大法廷—後記【93】判決・筆者注）。されば原審が所論の証人尋問の請求を却下して第一審裁判所における同証人の供述を記載した公判調書を証拠に採用したことは憲法に違反するものではないから論旨は理由がない。」（最判昭二四・七・二六集三・七・一四〇二(応)）。

この判決も、第二審で尋問請求のあつた証人の第一審公判廷における供述を記載した公判調書を第二審判決の証拠としても憲法三七条二項に違反しないことを判示しており、その根拠として、被告人が第一審の公判廷において証人尋問に立ち会い、証人を審問する機会を充分に与えられていること、および証人採用の限度は裁判所の自由裁量に委ねられているから、被告人側申請のすべての証人を取り調ぶべき義務を裁判所に課したものでないことを挙げている。前記【23】判決と殆ど同趣旨の判決というべきである。

【26】 「原審が聴取書を証拠としたこと及び原審が公判廷で証人訊問の請求のあつたA、Bの証拠調を不必要として却下したことは所論の通りである。しかし第一審公判廷においては、右両名の所論聴取書について証拠調のされていたこと、また右A、Bは弁護人の申請で証人として訊問されていたことは記録上明らかであるから、被告人に対しては右聴取書につきこれらの供述者を訊問する機会がすでに与えられていたのである。かくの如く一度被告人に訊問の機会が与えられた書類は、刑訴応急措置法一二条一項に規定する書類中に含まれないと解すべきである（昭二三・六・一〇第一小法廷—前記【23】判決・筆者注）。されば原審が右聴取書を証拠に採用したことは、刑訴応急措置法一二条一項に違反しない。」（最判昭二四・八・二集三・九・一四二三(応)）。

この判決は、恐喝被告事件の控訴審において、被害者を証人として取り調べることなく、同人に対する検察事務官の聴取書を証拠に採用しても、第一審の公判期日においてその証人を尋問し、被告人に右証人（供述者）を尋問する機会を与えた以上、刑訴応急措置法一二条一項に違反しないとしている。そして、その理由として、「一度被告人に尋問の機会が与えられた書類は刑訴応急措置法一二条一項に規定する書類中には含まれないと解すべきである。」として、前記【23】判決を引用している。しかし【23】判決の場合は（【24】【25】判決の場合も同様である）、公判廷において被告人に反対尋問の機会を与えた証人の証言を記載した公判調書であるから、その場合と同じ理論で本件の場合を説明することは許されないものと思う。

公判調書の場合は、裁判官の面前の公判廷で被告人に対して証人尋問をさせ、その供述がそのまま調書になっているのであるから、第二審においてこれを証拠に採っても刑訴応急措置法の趣旨に反しないのは当然であるが、検察事務官の聴取書は、たとえそれについて公判廷で証人尋問の機会を与えたとしても、公判調書の記載そのものとは異るからである。ただ前記【13】ないし【16】判決のいうとおり、供述録取書類は公判廷において取り調べて反対尋問の機会を与えた以上はこれを証拠となし得るというのが判例の見解であるから、この判例解釈に従うときは、本件判決の結論を正当としなければならないであろう。

ただ本件判決が前記【13】ないし【16】判決と異る点は、後者の場合は、第一審の公判廷において直接供述録取調書の証拠調をして、これについて証人に対し反対尋問をさせた上、裁判所の自由心証に基く裁量により供述録取調書を証拠に採用するのであるから許されるとしても、本件の場合は、控訴審において再び証人を取り調べることなく、一方的に右供述録取調書を採用するのであるから、被告人にとってはより不利益である。刑訴応急措置法をここまで拡張して解釈することには疑問がないではない。このように解釈するときは、旧刑訴下の覆審制のもとにおいても、書面審理のみとなり、控訴審の存在が無意味となったであろう。ただ新刑訴法の事後審制の建前からすれば、それ程不都合でないようにも思われる。

【27】「記録を調べてみると、第一審裁判所は、昭和二二年九月二六日公判において、所論Aを証人として訊問していることが明らかである。それゆえ、被告人に対しては、すでに右証人を公判期日において訊問する機会を与えているのであるから、原審が右証人訊問の申請を却下しながら同証人に対する検察事務官の聴取書を証拠に採用しても刑訴応急措置法一二条に違反するものではない（昭二四・八・二第二小法廷——前記【26】判決・筆者注・昭二四・三・三一第一小法廷——前記【24】判決・筆者注）。また第三者の供述を証拠とするにはその者を公判において証人として必ず訊問しなければならないものではなく、公判廷外における聴取書をもつて、証人に代えることを憲法三七条は許さないものではないことについても、当裁判所の判例とするところである（昭二三・七・一九大法廷——前記【1】判決・筆者注）。」（最判昭二五・六・一三集四・六・九八四（応））。

この判決も、それが引用している前記【26】判決と全く同趣旨の判例である。

（ロ）　公判準備において、被告人に対して証人審問権を行使させておれば、その後第一審の公判においても、第二審においても再びこれを行使させる必要がないとする判例として、次のものがある。

【28】「原判決が証拠として採用したのは、所論のように第一審公判調書中の証人Aの供述記載でなくしてAの居宅における第一審尋問調書中の同人の供述記載であるが、この尋問には被告人両名の弁護人X等が立会

い（被告人は勾留中で立会つていないけれども）所要の尋問を裁判長に求めている。かようにこの証人の供述については、現にその作成の当時弁護人の尋問する機会が与えられているのであるから、これに対しては刑訴応急措置法一二条の適用はないものと解するのが相当である。従つて原審において、右Aを証人として申請したことに対し、これを却下しながら、その供述記載を証拠に採用したからとて、所論のような違法はない（昭二五・三・一五大法廷—後記【45】判決・筆者注）（最判昭二五・一一・一五集四・一二・二三〇九（応））。

この判決は、強盗被告人の控訴審において弁護人の申請した証人（強盗被害者）尋問の請求を却下しながら、弁護人立会の下になされた第一審の右公判期日外においてした証人尋問調書を採証に供しても、刑訴応急措置法一二条一項に違反しないとしたのである。

前記【23】ないし【25】判決の趣旨をおし進めて行くときは、公判期日外（裁判所外を含む）において被告人に証人を充分に尋問する機会を与えているかぎり、その公判期日外における証人尋問調書を証拠に採用しても刑訴応急措置法一二条一項に違反しないこととなる。ただこの判決の事案においては、被告人は勾留中であったため公判期日外の証人尋問に自ら直接立ち会ったのではなく、弁護人だけが立ち会って反対尋問を行使したのであって、これで被告人に対して証人を充分に審問する機会を与えたことになるか問題であるが、この点については、後記「裁判所外における証人尋問」の項で詳しく述べる。

【29】「所論のAについては、同人は第一審公判廷外において証人として喚問され、その尋問には弁護人が立会い（被告人は勾留中で立会つていない）、所要の尋問を裁判長に求めていること記録上明瞭である。かようにこの証人の供述については、既にその尋問調書作成の当時弁護人に対し、反対尋問の機会が与えられている

のであるから、右同人を第二審である原審が一旦証人として喚問すべき旨決定した後事情により右決定を取消した上、第一審における同人の尋問調書中の供述記載を証拠に採つても所論憲法三七条二項に違反するものではない。このことは当裁判所大法廷判例の趣旨に徴して明らかである（昭二五・三・一五、昭二五・一一・一五各大法廷―後記【45】判決、前記【28】判決・筆者注）。そして以上の理由は右Aが第一審証人当時は被告人の妻であつたため宣誓適格がない証人であつたが第二審当時は被告人と離婚し、したがつて宣誓適格者となつた場合であつてもその理由を異にするものではないと解するを至当とする。」（最判昭二五・一二・八集四・一二・二五一五（応））。

この判決の事案は、被告人が妻の情夫を殺害した殺人被告事件である。第一審において妻Aは証人として、弁護人立会の上（勾留中であった被告人は立ち会っていない）公判期日外において尋問されている。第二審において、弁護人は証人Aの再尋問を請求し、裁判所は一旦Aを証人として採用しながら、それを取り消して証人尋問の請求を却下し、第一審の証人尋問調書を証拠として採用した。

この場合にも第一審において弁護人に反対尋問の機会を与えているのであるから、証人審問権を当事者主義の要請と考え、反対審問権確保のための制度だと考えれば、判旨は前記【28】判決と同様是認されることとなる（被告人が勾留されているという理由で弁護人を立ち会わせただけでよいか疑問であるが、この点は後述する）。しかし裁判所は一審における証人尋問調書によって充分の心証を得ないときは、もちろん証人を再喚問して、直接に取り調べることは直接主義、実体的真実主義の見地から要請される。従って、一旦Aを証人として再喚問の証拠決定をしながら、Aの再婚という事情のみを考慮したため（この点は上告論旨からうかがえる）、その証人喚問を取り消し、被告人の充分な証人審問権行使の機会を奪ったとするならば、この判決の結論は正当でないとせねばならない。証人再喚問の採否については、もちろんその証人の立場を全く考慮しないわけにはいかないが、被告人の証人審問権ないし証人要求権の行使をこそ重視しなければならないからである。

（八） 捜査の段階において証人審問権行使の機会を与えておれば、その後公判の段階において被告人審問の機会を与えなくてもよいかの点については、まず捜査機関が参考人を取り調べる場合と刑訴法二二六条および二二七条の規定による第一回の公判期日前の証人尋問の場合とを区別して考察する必要がある。

捜査機関が参考人を取り調べる際に、被疑者を立ち会わせても、検察官は参考人に対して任意の供述を求め得るだけであって（法二二三Ⅱ）、証人尋問の権限を有せず、また反対尋問の機会を与える権限も有しないから、検察官が被疑者を取り調べる際に参考人に供述を求める機会を与えたとしても、憲法の要請を充すことができないことは当然である（江家・基礎理論九八頁、栗本・実務講座Ⅷ一八九〇頁）。

また、検察官の請求による捜査時代の裁判官の証人尋問（法二二六・二二七）において、被疑者（被告人）を立ち会わせて反対尋問の機会を与えれば（判例は被疑者・被告人を立ち会わせなくても違憲でないとする。後記【30】【31】判決参照）、憲法の要請を充すかについては一応問題として考えられる。しかし、前記【8】および後記【30】【71】等の判決によると、「裁判所の職権により又は当事者の請求により喚問した証人」に対して反対尋問の機会を与えれば、その証人のその時以前の供述も証拠となる趣旨と解せられ、この場合の「裁判所の職権により又は当事者の請求により喚問した証人」の意味は、「職権により又は当事者の請求により裁判所の喚問した証人」の意味であり、検察官の請求により裁判官の尋問する証人（法二二六・二二七）はこれに含まれないと解せられるから、判例は、法二二六条および二二七条による証人尋問の際被告人に証人審問権行使の機会を与えても、それだけで憲法の要請を充すとは考えていないことが明らかである。しかし、他面判例は法二二六条および二二七条による証人尋問調書は、被疑者（被告人）が証人尋問に立ち会って審問権を行使した場合でなくても、裁判官の面前で宣誓の上で行われたという信用性の情況的保障のために証拠能力があるとするのであり、反対尋問の機会を与えたか否かは問題とならないとしているのである（最判昭二九・一一・一一集八・一一・一八三四頁後記【38】判決参照）。

(2)　捜査手続における証人尋問　　ここにいう捜査手続における証人尋問とは、刑訴法二二六条および二二七条の検察官の請求による裁判官の証人尋問である。この証人尋問の請求を受けた裁判官は捜査に支障を生ずる虞がないと認めるときは、被告人（被疑者）または弁護人を証人尋問に立ち会せることができるのであるが、裁判官がこれらの者を立ち会わせず、反対尋問の機会を与えることなくして証人尋問を行うこともできる。従ってこのように被告人の立会を裁判官の裁量に任せた刑訴法二二八条二項の規定の合憲性が問題となる。

学説としては、被告人（被疑者）または弁護人を立ち会わせないで、被告人に不利益な証人を尋問するときは、被告人の反対尋問権を奪うことになるから憲法三七条二項に違反するとの説（江家・基礎理論九二頁）および刑訴二二七条および二二八条二項は相まって被告人の審問権を完全に奪ったままで証人尋問ができることにしているから、予審制度の復活とみるべきで憲法三七条二項違反であるとする説（青柳（盛）・「刑訴二二七条の証人尋問調書の証拠能力」法律時報二二巻二号六〇頁）があるが、多数説は、合憲説をとっている（平野・刑訴法六六頁、田中・証拠法一四七頁、高田・刑訴法二四〇頁、平場・講義一九五頁）。合憲説の根拠とするところは必ずしも同一ではないが、公平な第三者である裁判官の面前で宣誓の上で供述するのであるから信用性の情況的保障があるとする点で大体において一致している。

この点に関する判例として、次のものがある。

【30】「右Aの証人尋問調書は、刑訴法二二八条二項により、捜査に支障を生ずる虞があるとの理由で被疑者、弁護人等の反対尋問の機会を与えないで作成されたものであるが、右刑訴法の規定は、憲法三七条二項に違反する無効の規定であるから、右調書を適法とする原決定は、右憲法の規定に違反すると主張する。しかし憲法三七条二項に刑事被告人はすべての証人に対して審問する機会を充分に与えられると規定しているのは、裁判所の職権により又は訴訟当事者の請求により喚問した証人につき、反対尋問の機会を与えなければならないというのであつて、反対尋問の機会を与えない証人その他の者（被告人を除く）の供述を録取した書類は絶対に証拠とすることは許されないという意味をふくむものではないことは、当裁判所の判例とするところである（昭二四・五・一八大法廷――前記【8】判決・筆者注）。しかして記録によれば、本件においては、所論の証人Aは、検察官の請求により、原審公判において尋問せられ、被告人側の反対尋問にも充分にさらされたことが明白である。従つてこの点において、憲法三七条二項の要請は充たされたものと認めることができる。原審は、唯右証人がその公判廷において所論裁判官の面前における同証人の供述と異つた供述を為した為に、検察官の請求により、刑訴法三二一条一項一号によつて右裁判官の面前における供述を録取した書面即ち所論証人尋問調書を証拠とすることができるものとして、これを証拠とする旨の決定をしたまでのことであつて、原審のかかる措置には何等違法の廉はない。」（最決昭二五・一〇・四集四・一〇・一八六七(新)）。

本件は、いわゆる松川事件において、第一審の福島地方裁判所が赤間被告に対する刑訴二二七条に基く裁判官の尋問調書を刑訴三二一条一項一号後段により証拠調をする旨の決定をしたのに対し、憲法三七条二項に違反するとして、弁護人が申し立てた特別抗告を棄却した最高裁判所の決定である。この決定は、刑訴法二二八条二項により被疑者、弁護人に反対尋問の機会を与えないで作成した証人尋問調書の証拠調決定が憲法三七条二項に違反しない根拠として、(一)憲法三七条二項は裁判所の職権によりまたは訴訟当事者の請求により喚問した証人につき反対尋問の機会を与えなければならないとの意であること、(二)反対尋問の機会を与えない旨の供述を録取した書類は絶対に証拠とし得ない意味を含むものではないこと(この点は前記【8】判決の理由と全く同じ)、(三)被告人に対しては、一審公判において、証人を反対尋問する機会を与えていること、を挙げている。

被告人に審問権を行使させなければならない証人の範囲を、「裁判所の職権により、又は訴訟当事者の請求により喚問した証人」というように形式的意義の証人と解すべきではなく、実質的にその供述が証拠にとられるすべての証人と解すべきであることは、前記【8】判決の箇所で述べたとおりである。従って捜査手続における証人尋問についてもできる限り反対尋問の機会を与えるべきであり、刑訴法二二八条二項の規定もむしろ原則的には被告人等の立会を認めるべきで、特に捜査に支障を生ずる虞のある場合に限って立会権を与えないとの趣旨と解すべきものと思う。

ただ判旨の反対尋問の機会を与えない者の供述を録取した書類は絶対に証拠となし得ないのではなく例外があるとの点は、肯定しなければならないが、その例外を認めるには合理的根拠がなければならない。また判旨が、当該証人に対しては一審の公判廷において被告人に反対尋問の機会を与えているとの点は、反対尋問の機会は証人の供述する際に与えることを要しないとする従来の判例を踏襲するものであって、この点についても、前述したところである(四四頁)。

刑訴法二二六条および二二七条の規定による証人尋問調書は、多数説のいうとおり、公平な第三者である裁判官の面前で、原則として宣誓の上で供述される点で信用性の情況的保障が認められること、犯罪捜査の合目的性ということからその当事者主義化を徹底することができず被告人の反対尋問の機会も常には与えられないけれども、かような供述を証拠とする実際上の必要性があること（本件において検察官のみ立ち会わせたか否かの点は明らかでない）を考慮すれば、本件のような被告人（被疑者）、弁護人の立会なくして行われた証人尋問調書について、証拠決定をすることも合憲と認めざるを得ないと考える（同旨・高田・刑訴法二四一頁）。

なお、この判例は、証拠決定に対する特別抗告を認めたのであるが、最高裁判所はその後その見解を改め、終局裁判前になされた決定で終局裁判に対する上訴において審査されるようなものに対しては独立して特別抗告を申し立て得ないとするもののようである（最決昭二七・一二・二七集六・一二・一四七七）。

【31】　「憲法三七条二項の規定は、刑事被告人に対し、受訴裁判所の訴訟手続において、すべての証人に対して審問する機会を充分に与えられ、又公費で自己のために強制手続により証人を求める権利を保障した規定であつて、捜査手続における保障規定ではないと解するのが相当である。そして、刑訴二二八条の規定は、前二条の規定とともに、同一九七条一項に基き規定された検察官の強制処分請求に関する法律規定であつて、受訴裁判所の訴訟手続に関する規定ではなくて、その供述調書はそれ自体では証拠能力を持つものではない。されば、刑訴法が同二二八条二項において、『裁判官は、捜査に支障を生ずる虞がないと認めるときには、被告人、被疑者又は弁護人を前項の証人尋問に立ち会わせることができる』と規定して、同条の証人尋問に被告人、被疑者又は弁護人の立会を任意にしたからといつて、前記憲法の条項に反するものではない。刑訴法は、受訴裁判所の訴訟手続に関する規定として右二二八条の規定にかかわらず更に刑訴三二〇条の規定を設け前記憲法の各項に基く刑事被告人の権利を充分に尊重しているのである。そして本件第一審の訴訟手続においては、被告人及び弁護人は前記二二八条に基く尋問調書を証拠とすることに同意したものであること記録上明白であるから、刑事被告人の前記憲法上の権利を尊重した右刑訴三二〇条所定の同三二六条に規定する場合であるとい

らべく、従つて、第一審の採証手続に何等の違憲違法をも認めることができない。」（最判昭二七・六・一八集六・六・八〇一（新））。

この判決は、憲法三七条二項の「すべての証人」とは、「受訴裁判所の訴訟手続におけるすべての証人」であることを前提とし、次の二つの点から刑訴二二八条による尋問調書を証拠に採用した本件訴訟手続は違憲でないとするのである。すなわち、(一)刑訴二二八条の規定は、前二条の規定とともに検察官の強制処分に関する規定であって、受訴裁判所の訴訟手続に関する規定でないから、刑訴二二八条二項が、同条の証人尋問に被告人（被疑者）または弁護人の立会を任意にしたからといって前記憲法の条項に違反するものでないこと、(二)刑訴法は、右二二八条の規定のほかに三二〇条の規定を設け、右二二八条に基く供述調書それ自体には証拠能力を認めず、被告人の権利を充分に尊重しているのであるが、本件においては刑訴二二八条に基く尋問調書を証拠とすることに被告人および弁護人が同意したものであること、を理由としている。

まず、憲法三七条二項の「すべての証人」の意義を「受訴裁判所におけるすべての証人」と解するこの判例の見解は、すでに前記【8】および【30】判決において示されているところであるが、憲法三七条二項の証人の意義はこのように形式的に解すべきではなく、「裁判所がその証言を証拠に採用するすべての証人」と解すべきであることは前述したとおりである（二八頁）。しかし、そのことは、その証言に際し被告人（被疑者）または弁護人に反対尋問の機会を与えなかったすべての供述録取調書が当然違憲無効となるものではなく、これらの調書を証拠に採用することが憲法三七条二項に違反するか否かは同条の「証人に対して審問する機会を充分に与えた」ものと解し得る事情があるか否かによって別個に決せられるべきであることも前述したところである。この意味において刑訴二二八条の規定は、それだけでは憲法三七条二項と関係がないといえるけれども、刑訴二二八条に基く証人尋問調書が刑訴三二一条一号の調書として採用される場合には、当然憲法三七条二項の問題が生じて来るのである。この判決は、上告論旨が刑訴二二八条の合憲性のみを問題としたため（上告趣意は、被告人・被疑者または弁護人の立会なくして公判前に証人調をなし右証人が後日公判廷でこれと異る供述をなしたときは刑訴法三二一条一号により際限なく被告人の人権を圧迫し旧法の予審制度の復活と同じ状態になり、折角憲法三七条二項で保障された国民の権利が奪われる虞が多分にあるとした）、同条項の合憲性についてのみこたえ、同条項に基いて作成された供述調書が刑訴三二一条一項一号の調書として採用される場合の合憲性については正面からは判示しなかった。しかし刑訴二二八条の合憲性と刑訴三二一条一項一号の合憲性とは密接不可分の関係にあり、刑訴三二一条一項一号の調書も証拠とされる場合があるとするならば、刑訴二二八条二項の手続自体も憲法三七条二項に違反しないといってよいか問題がなくはない。ただ本件で問題となっている刑訴二二八条に基く証人尋問調書については、第一審公判において、被告人および弁護人がこれを証拠とすることに同意しているので、刑訴三二六条によってこれを証拠に採用した点には、なんらの違法はなく、しかも憲法三七条二項の保障する被告人の証人審問権は放棄しうる権利と考えられるから、刑訴三二六条も違憲でなく、従って本件第一審の採証手続には違法はない。この意味でこの判決の結論は正当といわねばならない（長島・評釈一四巻一三九頁は、刑訴法二二八条の規定のみでは憲法三七条二項とは関係がなく、刑訴三二一条以下の規定により刑訴二二八条に基く証人尋問調書が証拠に採用される場合にはじめて、これらの規定の合憲・違憲が問題となるとする）。

刑訴二二八条の合憲性に関する高等裁判所の判決としては、次のごときものがある。

【32】「刑訴二二七条、二二八条は要するに捜査に関する規定であり、捜査の段階において検察官が後日の

争に備えて慎重に証拠を準備せんが為めに裁判官に証人の取調を請求しておく必要を生ずることも多いであろうし、この請求を受けた裁判官が捜査に支障を生ずる虞がないと認めた場合は格別苟も支障を来す虞ありと認め乍ら尚反対尋問権の行使のため被告人、被疑者又は弁護人を立会わせることを要するものとすることは、検察官が右請求に及んだ趣旨を没却するものであるから、被告人等を立会わせずに証人を尋問することも已むを得ないものといわねばならない。しかもかようにして作成せられた証人尋問調書と雖も反対尋問を受けていないのであるから、原則としては直ちには証拠とすることは認められないで、唯限られた場合には例外として証拠能力を認められているに過ぎない（刑訴三二〇条三二一条参照）のであるから、捜査上必要な事態に対応するために設けられた右刑訴二二七条、二二八条を違憲なりと断ずることは著しく失当である。」（東京高判昭二五・一・二一特一〇・六(新)）。

この判決も刑訴法二二八条二項により被告人または被疑者を立ち会わせずにした証人尋問の合憲性は、この場合の証人尋問調書の合憲性とは別個に考えられる問題であるとしている。

【33】「憲法三七条二項前段は……裁判所の職権により又は訴訟当事者の請求により喚問した証人に対しては反対尋問の機会を充分に与えなければならないという趣旨であつて、被告人に反対尋問の機会を与えない証人の供述を録取した書類は絶対にこれを証拠とすることは許されない趣旨であるとは解せられない（昭二四・五・一八大法廷判決―前記【8】判決・筆者注―参照）。而して刑訴二二七条により裁判官の証人尋問調書は当然に証拠能力を具有するものではなく、同法三二六条により被告人がこれを証拠とすることに同意するか又は同法三二一条一項一号により供述者が死亡、精神若しくは身体の故障、所在不明若しくは国外にいるため公判準備若しくは公判期日において供述することができないとき、又は供述者が公判準備若しくは公判期日において前の供述と異つた供述をしたとき（この場合は供述者に対し反対尋問をなす機会が与えられる）に限り証拠能力を有するに至るものであるから、被告人、被疑者又は弁護人の立会を裁判官の裁量に委ねた刑訴二二八条二項の規定が憲法三七条二項前段に違反するものであるとはいえない（本件の場合と稍異るが昭二五・一〇・四大法廷―前記【30】判決・筆者注―参照）。従つて前掲裁判官の証人Aに対する尋問調書には

何等の違法がなく、且つ本件においては、弁護人が原審公判廷においてこれを証拠とすることに同意し被告人等は異議を述べた形跡が認められないから、右証人尋問に被疑者又は弁護人が立会つていなくても該尋問調書は適法な証拠能力を有するに至つたものと謂わなければならない。而していわゆる反対尋問権は拋棄を許されない権利ではなく右同意により該証人に対する反対尋問権にこれを拋棄したものと謂わなければならない。」（高松高判昭二七・六・一四集五・八・一二〇九）。

この判決は、最高裁判所の前記【8】及び【30】判決の立場を前提としたもので、刑訴二二八条二項による尋問調書は、刑訴三二一条一号の制限のもとに証拠能力を有するに過ぎないから、被告人（被疑者）、弁護人の立会権を認めなかったことは違憲でないというのである。

次に刑訴二二七条の証人尋問に立会を許す者の範囲について次の判決がある。

【34】「本件証人尋問期日が被告人及び弁護人に通知がなかつたから憲法三七条二項に反するというのであるが、刑訴二二七条の証人尋問の場合には必ずしも被告人及び弁護人の立会を要するものとはされておらず、かかる刑訴二二八条二項の規定が憲法三七条二項に違反しないことは、当裁判所大法廷の判例（昭二七・六・一八大法廷―前記【31】判決・筆者注―参照）であるから、右証人尋問に当つて、被告人、弁護人の何れか又はその双方或は弁護人中の何名に立会を許すかということも右証人尋問をする裁判官の裁量に属することであり（しかも本件においては被告人及び弁護人が右各証人尋問に立ち会い反対尋問を行使する機会を与えられている）、……このような措置が何ら憲法三七条二項に反しないことは前記判例の趣旨に徴して明らかである。」（最判昭二八・四・二五集七・四・八七六(新)）。

刑訴法二二七条の証人尋問に被告人（被疑者）、弁護人を立ち会わせるか否かは裁判官の裁量によって任意に決し得るとする前記【31】判決の立場からすれば、被告人、弁護人のいずれかまたはその双方或は弁護人中の何名に立会を許すかということは、もちろん裁判官の裁量に属することになるし、特に本件においては被告人および弁護人が右証人尋問に立ち会って反対尋問権を行使したというのであるから、この点から問題はなかったわけである。

次に本条の証人尋問における検察官の立会に関して、次の判例がある。

【35】「刑訴法二二七条による裁判官の証人尋問の場合において、同法二二八条二項及び規則一六二条の規定によつて、被告人、被疑者及び弁護人には原則として立会権はないが、検察官にはこのような特則がないから一般原則である同法一五七条一項等の規定によつて立会権があるものと解すべきである。」(大阪高判昭三二・一二・一八高裁特報四・二三・六四二(新))。

この判決は、法二二七条の証人尋問の場合に被告人(被疑者)、弁護人には立会権がないが、検察官には一般原則によって立会権があるというのである。しかし本条の証人尋問に被告人(被疑者)、弁護人の立会を拒否しながら、検察官のみの立会を許すことは法の精神を裏切るものであるから、検察官のみの立会によって行われた本条の証人尋問調書には証拠能力を認めることができないとする反対説がある(佐伯・刑事裁判と人権一四頁)。検察官が本条の証人尋問の請求をするのは、将来証言を覆す虞のある証人に対して、公平なる第三者である裁判官の面前で現在の任意の証言を求めて証拠を保全しておこうとするためであるから、被告人(被疑者)、弁護人の立会が許されない場合に、その証人の取調べに当った検察官のみが一方的にその証人尋問に立ち会うことは違法ではなくても、検察官としてフェアな態度といえないから、その証人尋問調書の信用性の情況的保障に影響がないとはいえないと思う。

本条の証人尋問の日時、場所の通知について、次の判例がある。

【36】「所論のごとく刑訴二二六条、二二七条にもとづく裁判官の証人尋問に際しては、同法二二八条二項は、『裁判官は捜査に支障を生ずる虞がないと認めるときは、被告人、被疑者又は弁護人を前項の尋問に立ち会わせることができる』と定め、この場合の証人尋問には弁護人の立会を任意にしているのである（かかる立会の任意であることについては昭二七・六・一八大法廷—前記【31】判決・筆者注）。従つて右の証人尋問の場合は、刑訴一五七条二項の適用はないものというべきであるから、これと見解を異にする論旨は採用できない。」（最判昭二八・三・一八集七・三・五六九）。

この判決も前記【31】判決を前提として、刑訴二二六条および二二七条の裁判官の証人尋問の場合は、被告人または弁護人に尋問の日時および場所を通知する必要がないとするのであって、判例の立場としては当然の結論である。

(3)　別件における証人審問権　　憲法三七条二項の証人審問とは、当該事件の公判準備または公判期日における証人尋問を意味し、捜査方法としての証人尋問を包含しないというのが前述のとおり判例の立場であるが、憲法三七条二項の証人の審問とは、捜査方法としての証人尋問を包含しないばかりでなく、更に別件における証人尋問も包含しないとする高裁の判決がある。

【37】「原判決が本件（被告人Xに対する関税法違反事件—筆者注）犯行認定の証拠として……(ロ)証人Aに対する裁判官の尋問調書を引用していること……右(ロ)の尋問調書は（別件の—筆者注）捜査方法として検察官の請求により同年九月四日福岡地方裁判所において裁判官の尋問により作成されたものであり、共に本件第四回公判期日と第五回公判期日との間に（別件の第一回公判期日前に—筆者注）本件の被告人又は弁護人の立会なくして取り調べられたものなること、而してこれらを証拠とすることに対しては本件弁護人等は孰れも異議を唱えたが、原審は……(ロ)尋問調書は刑訴三二一条一項一号に該当する書証として採用したものなることは所論のとおりである。

然し、先ず、右(ロ)のAに対する証人尋問調書は、前記の如くYに対する関税法違反被疑事件（別件——筆者注）に対する捜査方法として為されたものであるから、その取調日時が本件の第一回公判期日前たると否とは、同調書の本件に対する証拠能力の存否に無関係である。而してその供述は特に任意性を妨げられたとみるべき証跡もなく且つ原審第五回公判調書記載に係る証人Aの供述とは相当相違する点が見られるから、右(ロ)の尋問調書を本件に対する刑訴三二一条一項一号該当の証拠として採用することは違法ではない。而して亦憲法三七条二項にいわゆる証人の審問とは当該事件の公判準備又は公判の手続に於ける証人取調を意味し、捜査方法としての証人の尋問については当該事件の被告人や弁護人すら立会及び尋問の機会を与えられるや否やは受任裁判官の裁量に委ねられているのであつて、まして別件たる本件の被告人や弁護人にこの機会を与えられなかつたことは何ら違憲の措置ではない。」（東京高判昭二七・一一・二 七集五・三・三七五（新））。

この判決は、被告人Xに対する関税法違反被告事件の犯罪事実認定の証拠として、Yに対する別件関税法違反被告事件の捜査方法として取調べられたAに対する証人尋問調書を刑訴法三二一条一項一号の供述調書として採用した場合に関するものである。そして判決は、別件のAに対する証人尋問調書もAが本件Xに対する公判手続で取り調べを受けてその証言が前の証言と相異る以上法三二一条一項一号の供述調書として採用することは違法でないとし、別件の捜査方法としての証人尋問に本件被告人のXおよび弁護人が立ち会わなかったことは何ら違法の措置でないとしたのである。しかし従来の判例の趣旨をここまで拡張して解釈することには大いに疑問がある。まず証人Aの立場からいっても、Yに対する関税法違反の被疑事実について証人として取り調べを受けるときには、その証人尋問調書が後日Xに対する被告事件の証拠として提出されることは全然予想しなかったことであろうし（もっともXとYとは共犯になっているのかも分らない）、Ｙとの間に刑訴四七条所定の近親関係があっても証言拒絶権を行使することもできないし（ただしこの点に関しては、最判昭二七・八・六集六・八・九七五参照）、このようにしてでき上った調書が被告人Ｘの証拠とされることは、Ｘ自身の証人審問権行使の観点からみれば、Ｘにとって極めて不都合であるといわねばならない。すなわち、被告人自身が全然立ち会うことなく、裁判官のみが全然別件の証人として尋問してでき上った調書に対して、たとえ後日公判期日において反対尋問の機会が与えられるとしても、被告人にとってはそれ程利益があるとは思われない。後日公判廷で反対尋問の機会が与えられるということは、決して別件の証人尋問における反対尋問の代用物とはならないからである。

しかし判例の見解によると、裁判官の面前における証人尋問調書は、当該事件におけるものであっても、反対尋問の機会を与えることを要しないで刑訴法三二一条一項一号の書面として証拠能力を有すると考えるのであるから、被告人に反対尋問の機会を与えたか否かは、当該証人尋問調書の証拠能力に影響がない。従って別件における裁判官の面前調書も被告人の反対尋問にさらしていなくても、証拠能力があるということになるのである。

この見解を明らかにする判例として、次の判決がある。

【38】　「同調書が別件であるＸにかかる公職選挙法違反被疑事件につき、裁判官の面前における証人Ａの供述を録取した書面であること、そして同証人は、本件……公判期日において、右の供述と異る供述をしたため検察官からこれを刑訴三二一条一項一号の書面として提出された証拠であることは、記録上明白である。……そこで刑訴三二一条一項一号にいう『前の供述』には、別件におけるものを包含しないものと解すべきか否かの点を考察するに、ある事件の被疑者もしくは被告人は、別件の証人尋問には、これに立会して反対尋問を行

う機会を与えられないのであり、また刑訴一四七条一四九条所定の証人の証言拒絶の如きは、特定の被告人との関係によつて定まるのであるから裁判官の面前における供述が、その事件でなされたか別件でなされたかは訴訟における被告人の利益にも相当重大な関係を生ずる場合のあることはいうまでもない。

しかし刑訴三二一条一項一号は、裁判官の面前における被告人以外の者の供述は、その供述が裁判官の面前で行われる点を特に重視し、かかる供述には高度の信用性の保障があつて、これを公判期日における供述に代えることのできるだけの証拠価値があるものとし、これに証拠能力を附与しているものと解されるのである。すなわち、当該事件におけるものであつても反対尋問を行う機会の与えられることは、刑訴三二一条一項一号の場合、証拠能力の要件とはされていないのである。従つて裁判官の面前供述につき、反対尋問を行う機会の存しないことはその証拠能力を否定すべき理由とはならない。また本件被告人とAとの間に刑訴一四七条一四九条所定の身分上または業務上の関係の存しないことは、記録上明白であるから、本件においては、被告人との関係におけるAの証言拒絶権は全く問題となる余地がない。してみれば、裁判官の面前におけるAの前記供述が、本件被告人の事件においてされたか、別件においてなされたかはその証拠能力の有無を決する上に何ら関係のないことがらであつて、右の供述が別件においてなされたという事をもつて証拠能力を否定すべき理由はないと解するのが相当である（福岡高判昭三一・六・一四高裁特報三・一二・六二〇(新)）。

この判決は、別件における刑訴二二七条に基く証人尋問が同法三二一条一項一号の書面として証拠能力のある理由として、三二一条一項一号の書面が裁判官の面前で行われるために信用性の情況的保障があるからであって、被告人の反対尋問が行われたことを要件とするものでないと明言している。

最高裁判所も右の見解をとり、「刑訴三二一条一項一号の裁判官の面前における供述を録取した書面には、別事件において作成されたものを含む。」と判決している（最判昭二九・一一・一一集八・一一・一八三四）。

(4)　被告人退廷の場合の証人審問権　被告人が訴訟指揮によって退廷させられた場合は、被告人の証人審問権はいかにして確保されるかの問題がある。被告人が退廷を命ぜられる場合には、次の二つがある。すなわち、（イ）証人が被告人の面前で充分な供述をすることができないとき（旧刑訴法三三九、刑訴一部改正法二八六の二による被告人出頭拒否の場合の被告人審問権については、八一の二・三〇四の二）、（ロ）被告人が法廷の秩序維持のため退廷を命ぜられるときである（法二八一の二・三〇四の二）、まだ判例は見当らない）。

（イ）　まず旧刑訴法三三九条によると、裁判長は、証人が被告人の面前で充分な供述をすることができないと思料するときは被告人を退廷させることができた。しかし刑訴規則二〇二条は、証人尋問中に被告人を退廷させることは憲法三七条二項との関係で疑問があるとしてこれを規定しなかったのである（刑訴規則説明書・刑事裁判資料一四号一〇五頁）。

ところが、最高裁判所は、旧法事件について、次の判決をした。

【39】　「本件第一審第一回公判調書を調べてみると、裁判長は、証人Aに対して、『今度の事件について証人として取調べをするが、Xがここにいては言い難いか』と問うたところ、Aが『はい』と答えたので、裁判長は、被告人に命じて同証人の訊問が終了するまで退廷させた上で、同証人に対し逐一訊問したこと所論の通りである。しかし弁護人はこの証人訊問の間終始立会つていたのみならず、裁判長の訊問終了後、右の証人に対して十分補充訊問をしている。そして右補充訊問が終つた後、裁判長は被告人に対し右証言の要旨を告げて意見を訊ねたところ、被告人は、『無理に関係したのではない』旨答えた。被告人は更らに裁判長から、「証人に聞き度いことがあるか』と問われて、『別にありません、関係後Aと話したのは……。他にAに尋ねたい

ことも又言い度いこともありません』と述べている。右のように第一審公判においては、裁判所は証人訊問中被告人を退廷させたけれども、訊問終了後被告人に証言要旨を告げて、証人訊問を促がしたのであり（それにも拘らず、被告人自ら訊問しなかつたのである）、且つ弁護人は終始訊問に立会い、自ら補充尋問もしたのであるから、これを以て、憲法三七条二項に反して、被告人が証人に対して審問する機会を充分に与えなかつたものということはできない。

尤も第二審に於ては、被告人及び弁護人から、Aを証人として申請したのに対し、裁判所はこれを却下しながら、第一審第一回公判調書中の同人の供述記載を証拠として採用している。しかし同人の供述については、既に第一審において、訊問する機会を被告人に与えられていること前記の通りであるから、第二審において重ねてその機会を与えることをしないでこれを証拠にとつても、刑訴応急措置法一二条一項又は憲法三七条二項に違反するものではない。

論旨は、憲法三七条二項について独自の解釈を下し、証人の供述は、それが供述される際に被告人の反対尋問にさらされたものでなければ、これを証拠に採ることができないという見解を前提として、証人Aの供述には被告人の反対訊問の機会が与えられていないから、これを証拠に採用した原判決は、憲法の右規定に違背すると主張している。しかし右憲法の右条項は、所論のような要請を含むものではなく、所論の証言については第一審第一回公判に於て反対尋問の機会を被告人に与えられていると認むべきこと前記のとおりである。それ故論旨は採用することができない。」（最判昭二五・三・一五集四・三・三五五(旧)）。

本件は、被告人が同じ職場の女工員を強姦してその処女膜を裂傷したという事案で、被害者の女工員が証人に喚問されたのであるが、裁判長は同証人が被告人の面前において充分な供述をすることができないとして、被告人を退廷させたのである。しかし、判旨は、第一に、被告人の弁護人が終始その証人尋問に立ち会っていたこと、および証人尋問終了後被告人を入廷させて、証言の要旨を告げて尋問の機会を与えていることを理由に、被告人を退廷させた措置が違憲でないこと、第二に、第二審において、被告人および弁護人から右女工員を再度証人として申請したのに、これを却下して第一審における公判調書中の同女の供述記載を証拠としたことは、刑訴応急措置法一二条、憲法三七条二項に違反しないこと、第三に、証人の供述は、それが供述される際に被告人の反対尋問にさらさなければ証拠に採ることができないものではないことを明らかにしている。

まず第一の点は、いうまでもなく、証人が被告人の面前で充分な供述をすることができない場合に被告人を退廷せしめて証人に充分な供述をさせようとする要求は、実体的真実発見のための職権主義の立場から生ずるが、これは証人が供述する際被告人をこれに立ち会わせ証人と対面させて被告人に充分審問権を行使させようとする憲法の目指す当事者主義の要請と衝突する。この職権主義と当事者主義の二つの理念の対立をいかに調和させるかは、極めて困難な問題である。この判例は、証人尋問中弁護人が被告人のために防禦権を行使していること、尋問終了後被告人を入廷させて尋問する機会を与えたことを理由として、憲法三七条二項に反しないとしたのである。しかし事は憲法に基く被告人の証人審問権の制限であるから慎重でなければならない。被告人の証人審問権が弁護人によって代理行使され得るものであるか、証人が供述する際に被告人を立ち会わせ、対面させて審問権を行使させなくてもよいかという点については、判例は積極に解していることは前述のとおりである（前記【28】【29】判決等）。しかしこれを肯定するにしても、被告人に退廷を命じ得るためには、被告人の面前で証人が充分に供述できないと認められるという条件だけで足るのか、更にその条件を限定する必要はないか、また被告人を退廷させるにしても最初から終りまで退廷させることはなるべく避け、或る事項についての証言のなされる間というように時間的にまたは事項的に制限することはできないかというような考慮をめぐらすことが必要であると思われる。しかしこの判決の場合には、証人尋問中は弁護人がこれに立ち会い、証人尋問終了後は被告人を入廷させて証言の要旨を告げて、直接証人を尋問する機会を与えたのであるから、新刑訴法施行前の手続としては、被告人の証人審問権を確保させるために充分な措置をとったものとして、判旨は正当というべきであろう（井口・評釈集・一二巻五八頁は、判旨を正当とし、更に新刑訴法下においても、規則二〇二条に一層の制限を加えて、被告人を退廷せしめて証人の供述を求めても憲法違反とならない場合があるであろうとしている）。

新刑訴法のもとにおいては、証人尋問中に被告人を退廷せしめ得るかについては、まだ判例は存しない。ところが昭和三三年四月三〇日に公布された刑訴法の一部改正法律は証人尋問中に被告人を退席または退廷せしめ得る規定を新設した（同法二八一条の二・三〇四条の二）。これによると、(一)退廷を裁判長の命令とせず、裁判所の決定によるとしたこと、(二)証人が被告人の面前において圧迫を受け充分な供述をすることができないと認められること、(三)弁護人が立ち会っていること、(四)検察官および弁護人の意見を聴くこと、(五)証人の供述終了後被告人を再び立ち会わせて、証言の要旨を告知して尋問の機会を与えること、を要件としている。被告人の証人審問権に関する憲法の要請を充たすために、【39】判決の趣旨に従い、更にその要件を厳重にしている。【39】判決は旧法下の判決であるが、新刑訴施行後の判決である後記【47】および【51】判決等に現われている最高裁判所の被告人の証人審問権に対する見解からすれば、右の改正法の規定も違憲ではないということになるであろう。

次に第二の点は、これまでの判例が明らかにしているところである。すなわち、判例の見解によると、公判期日または公判準備期日に証人尋問を行い、被告人に反対尋問の機会を与えた以上は、それ以前において作成された供述録取書が証拠となり、またその証人の供述を記載した公判ないし公判準備調書は、第二審においてもそのまま証拠となるとされていることは前述のとおりである（前記【23】ないし【25】【28】【29】判決参照）。

また第三の点は、被告人の証人審問は証人が供述する際に行使せしめることを要しないとするのであって、判例のこの見解は、右【23】ないし【29】判決を通じてその根底に横たわっている考え方であり、本判決は、この判例の見解を最も端的に明言したに過ぎないのである。

この判例の見解に対しては、被告人の証人審問権はその証人の供述のなされる際に行使されなければ、「充分」に審問権を行使させたといえないから違憲の疑があるとする説（江家・基礎理論一〇〇頁、田中・「英米法における証人尋問」法曹時報二巻五号五四頁）がある反面、わが訴訟法においては必ずしも英米法と同じ基準による必要がないことを理由として判例の立場を是認する説（本田等「伝聞法則の例外」実務講座Ⅷ一九一二頁）がある。

（ロ）　次に被告人が法廷の秩序維持のために退廷を命ぜられた場合の証人審問権の行使について、次の判決がある。

【40】　「本件のごとく被告人が証人審問の機会を与えられていたにかかわらず、その尋問を妨害し、秩序維持のため遂に退廷させられたような場合には、被告人自らの責任において反対尋問権を喪失したものというべきであつて、証人審問の機会を与えられなかつたものということはできない。しかのみならず、本件のように被告人の弁護人が終始証人尋問に立会い且つ被告人のためにその証人を尋問したときは、被告人の反対尋問権は

弁護人によって行使されているというべきであって、被告人自身がその審判に立会っていなくとも差支えないことは当裁判所大法廷屢次の判例の趣旨とするところである（判例集四・三・三五五以下、同三・三七一以下、同一一・二三〇九以下、同六・二・一三四以下—前記【39】、後記【45】、前記【28】【43】判決・筆者注—参照）。されば原判決は正当で所論は採用できない。」（最判昭二九・二・二五集八・二・一九〇(新)）。

この判決は、被告人が法廷秩序維持のために退廷を命ぜられた場合には、（一）被告人は反対尋問権を喪失するものであるから、証人審問の機会を与えられなかったとはいえないこと、（二）退廷後においても被告人の弁護人が証人を尋問しているから、被告人の反対尋問権は弁護人によって行使されていること、の理由から、第一審の手続は憲法三七条二項に反しないとしている。しかし被告人が退廷を命ぜられたことによって証人審問権を喪失するものであるならば、弁護人がこれを代って行使する余地もなくなるわけであるから、この判決の真意は、被告人の証人審問権が実質的には弁護人によって行使されているから違憲でないとしているのであろう。ただ証人尋問が終了した後被告人を入廷せしめて証言の要旨を告知する必要があるか否かについては、前記【39】判決と異り、これを告知する必要がないと解しているのである。このような措置も被告人が法廷の秩序を乱したことに対する制裁的効果として違法でないとする趣旨であるかその理由は明示されていない（伊達・解説・昭二五・二二頁は、この点に疑問があるとし、荒川省・評釈・警研二六・九・六九頁は、右の措置を訴訟手續の法令違背とする）。

この点に関する高等裁判所の判例としては、次の二つがある。

【41】「しこうして憲法三七条二項は刑事被告人に、すべての証人に対し審問の機会を充分に与えなければならないことを規定し、刑訴法三〇四条、規則二〇三条もまた裁判長は訴訟関係人に証人尋問の機会を与えなければならないと規定していること所論の通りであるが、右のように被告人が証人尋問の機会を与えられるべ

き状況にあつたにもかかわらず、請求者である検察官の尋問中に、その証人に対し大声で怒鳴りつけ、裁判官の制止をきかないで再三怒声を浴びせて尋問を妨げたため裁判官が法廷における秩序維持のため、被告人に退廷を命じ、被告人が退廷したような場合は被告人自ら、その証人に対する反対尋問の機会を自己の責に帰すべき行為により失なつたものであるのみならず、弁護人はその証人尋問に立会い、被告人のためにその証人を尋問しているのであるから、被告人の反対尋問権は、弁護人によつて行使されているものということができるのであつて、被告人自身が退廷を命ぜられて証人尋問の機会を与えられなかつたとしても法廷の秩序維持のためにはやむを得ないところであり、これを目して憲法三七条二項、刑訴法三〇四条、規則二〇三条に違反するものと認めることはできない。このことは刑事訴訟法上被告人が法廷における秩序維持のため、裁判長から退廷を命ぜられた場合には、被告人の陳述を聴かないで判決することができるものとしている同法三四一条の規定の存することによつても肯定しなければならないのである。」（東京高判昭二七・四・九集五・四・五八一（新））。

この判決は、最高裁判所の前記【40】判決と殆ど同趣旨の判例であるが、証人尋問終了後被告人に証人尋問権を行使する機会を与えなくてもよいことは、刑訴法三四一条の場合と同様の理由によって肯定されると明言している点に特色がある。

【42】「本件記録を精査すると、原審は第五回公判において、所論摘録の証人A、B、Cを尋問し、しかもこれらの証人の供述を被告人の判示事実認定の資料に供していること及び証人尋問が行われた公判には被告人が退廷せしめられて立会つていないこと、且つその後においても更に被告人に対し、これらの証人の供述の内容を知らせる手続を執つておらなかつたこと洵に所論のとおりである。然し乍ら右公判期における証人の取調にあたつては原審第四回公判において被告人に対し適式に公判期日の告知がしてあり、同被告人は第五回公判に出廷したのであるが、法廷の秩序を維持するため合法的に退廷を命ぜられて退廷したものであることが記録上明白であるから、原審が前記各証人の取調にあたり被告人を立会わしめず且つ証人尋問の機会を与えなかつた

のは寧ろ当然であつて、原審の措置には毫も憲法三七条二項若くは刑訴法一五七条に違反する違法は存しない。」（東京高判昭二八・一二・二一東京高時報四・六・二〇二（新））。

この判決は、被告人が法廷の秩序維持のために退廷させられた場合に、被告人を証人尋問に立ち会わせず、証人尋問の機会を与えなかったことは当然の措置であるとしているが、証人尋問終了後被告人に証言の要旨を告知して更に証人尋問させる必要があるかについては、何も言っていない。

(5)　控訴審における証人審問権　　控訴審において事実の取調の方法として証拠調を行う場合に、第一審公判の場合と同様法定の証拠調の方式によるべきか否かが問題となる。この点については、常に法定の証拠調の方式によるべきものとする見解（小野「新刑訴における控訴審の構造」刑雑一巻三・四号三七五頁、青柳・通論五六六頁、平場・構義五七五頁、中野・実務講座X二四五四頁）と、何らか適宜の方法によってよいとする見解（平野「控訴審の構造」講座六巻一二四七頁、平出「控訴審における事実の取調」小野還暦記念論文集(二)一三二頁等）とがある。法定の証拠調の方式によるべきであるとすれば、証人の取調については、被告人に反対尋問権を行使させるための手続をとらなければならないこととなるであろう。

しかし控訴審における事実の取調としての証人尋問であっても、それが単に原判決に対する事後審査の資料とされるだけで、控訴を棄却する場合と、原判決を破棄して自判する場合の事実認定の資料となる場合とがあり、また事実の取調としての証人尋問が公判期日において行われる場合と公判期日外において行われる場合とがあり、これらすべての場合に第一審の場合と同様法定の証人尋問の方式によるべきかが問題となる。

この点に関する最高裁判所の判例としては、まず、（イ）控訴審の公判廷において証人尋問をする場合で、それが原判決を破棄自判する際の事実認定の資料となる場合について、次の判例がある。

【43】「元来控訴審では、特別の規定で、被告人のためにする弁論は弁護人でなければこれをすることができず且つ弁護人は、公判期日に控訴趣意書に基きその弁論をしなければならないものとされ、また、被告人は裁判所が被告人の権利保護のため重要であると認め被告人の出頭を命ずる場合の外、公判期日に出頭することを要しないものとされている。従つて控訴裁判所では必ずしも所論のように常に事実の取調に被告人を立ち会わせ被告人に弁論の機会を与えなければならないものということはできない。そして控訴審は旧刑訴のような覆審でもないから、このことは裁判所がその取調の結果第一審判決を破棄し更に自ら判決をする場合でも同様であるといわなければならない。もつとも、控訴審で事実の取調の一方法として証人の尋問をし、これを裁判の資料とするような場合には、憲法三七条二項の刑事被告人の権利保護のため特に被告人をこれに立ち会わせその証人を審問する機会を与えなければならないものと解するを相当とする。

本件記録によると、原審は第二回公判で本件につき事実の取調をする旨を宣し、第二回公判で公判外の書面による証拠決定に基いて証人としてA及びBを尋問し、しかもこれら証人の供述を事実認定の資料に供したこと、並びに右証人尋問が行われた公判には被告人が出頭しておらず且つその後においても特に被告人に対し、これら証人の供述の内容を知らせる手続を執らなかつたことは所論のとおりである。しかしながら、本件では前記公判期日における証人の取調は、もともと弁護人の申請した証人の尋問であつて、各被告人にはいずれも右公判期日の召喚状が適法に送達され、且つ被告人の弁護人は同公判期日に出頭して右各証人に対しそれぞれ尋問していることが記録上明白であるから、被告人の前記憲法上の権利保護に充分な機会を与えたものといわねばならない。されば原審の手続には所論の違法があるとはいえない。」(最判昭二七・二・六集六・二・一三四(新))。

この判決は、(一)原則として事実の取調に被告人を立ち会わせ、被告人に弁論の機会を与えなければならないものではないこと、(二)しかし、事実の取調の一方法として証人の尋問をし、これを裁判の資料とするような場合には、憲法三七条二項の刑事被告人の権利保護のため、特に被告人をこれに立ち会わせ、その証人を審問する機会を与えなければならないこと、(三)事実認定の資料となる証人が弁護人の申請した証人であり、被告人に公判期日の通知があり、弁護人が証人尋問に立ち会っておれば、被告人に証人審問の機会を充分に与えたこととなるという三点を明らかにしている。

右の多数意見に対しては、二つの少数意見が附されている。

その(一)は、真野裁判官の意見である。これは、(1)被告人が公判期日における証人尋問に立ち会わない事態は単に控訴審においてのみ生ずるばかりでなく(法三九〇)、第一審においても生ずるわけである(法二八四・二八五)。多数意見は、この点にふれていない。(2)各公判期日には、被告人に召喚状が送達されており、憲法三七条二項に基く刑訴一五七条の立会権および審問権を行使し得る機会はすでに与えられたものであって、ただ被告人がこれを行使しなかったまでのことであるから、憲法違反の主張は理由がないという補足的見解を附加したものである。

その(二)は、小林裁判官の意見である。この意見は、控訴審の性格は「明らかに事後審」ではあるが、「部分的な続審」となる場合があるとし、また新しい証拠調をする限りにおいては、「控訴審は事後審の軌道における補充的事後審」であると論じ、控訴審においては、被告人は常に公判期日に召喚を受け、出頭の機会を与えられなければならない……」と強調し、多数説が事実の取調に被告人を立ち会わせる必要がないと判示したのに反対される。

この判決の事案は、詐欺、恐喝の被告事件の控訴審において、控訴審裁判所が事実の取調として弁護人のみ立ち会った公判廷において証人尋問をした上、一審判決を破棄自判し、右取り調べにかかる証人の証言を証拠として被告人に実刑を科した事件である。これに対し、弁護人は、「控訴審の審判については第一審公判の規定が準用されるから、証人尋問に被告人が立ち会わなかったときは、被告人に証人の供述の内容を知る機会を与えたものでなければ、その供述を事実認定の資料にすることは許されない。このことは刑訴法一五九条の規定の精神から明らかである。」旨主張して上告したのである。

この判決が、(一)事実の取調が原判決を事後審査するための事実の調査に止まる場合に被告人をその取調に立ち会わせて陳述させることを要しないとした点は、控訴審の構造からも正当と思う(法三九〇条本文、この点にはすでに判例がある。最判昭二五・四・二〇集四・四・六四八、昭二五・一〇・一二集四・一〇・二〇八七)。しかし、(二)事実の取調が証拠調の方法をとり証人尋問が行われる場合には、憲法三七条二項との関係が問題となって来る。右多数意見は、その証言を裁判の資料とするような場合には、被告人を立ち会わせてその証人を審問する機会を与えなければならないとするのである(真野裁判官は、刑訴法一五九条の適用はないが一五七条の適用があるとされる)。

この点は、控訴審の構造および性格をいかに考えるかによって、結論を異にするのである。英米法流の事実審理は第一審限りの考え方を徹底し、証人審問権の保障は第一審の事実審理(Trial)における保障と解するときは、控訴審においてはもはやこれを与える必要がないこととなる。しかしわが国の多分に続審的性格を帯びて来た控訴審の性格・構造からすれば、判旨の結論を正当とすべきものと思う。

ただ原判決を破棄して自判すべきか否かは、証人尋問を経た上で始めて判るので、審理の途中ではそれはわからないのであるから、判旨を是認する限り、証人尋問をする公判期日には必ず被告人を召喚して、これを立ち会わせなければならないこととなる。実務上もこのような取扱がなされているようである（中野・実務講座X二四五四頁）。

次に、（三）事実認定の資料となる証人が弁護人の申請したものであり、被告人に公判期日の通知または召喚があり、かつ弁護人がこれに立ち会っておれば、憲法三七条二項にいう審問の機会を与えたことになるという点では、多数意見も真野裁判官も一致する（真野裁判官は、特に刑訴法一五九条は公判期日における証人尋問には適用がないとされている）。これを正当としてよいと考える（出射・評釈一四巻二八頁は、この点に疑問をもたれるが、青柳・通論五六六頁は、控訴審の証人尋問においては、弁護人があれば、弁護人が反対尋問権を行使すれば足るので、この点一審と異るとされる）。

次に（ロ）原判決の事後審査の資料とする場合の証人尋問について、次の判例がある。

【44】「論旨第一点は、原審が公判期日外の証人尋問をするに当り勾留中の被告人に実質的に立会の機会を与えていないのは憲法三七条二項に違反するというのであるが、原審は、これらの証人尋問調書中の供述記載を事実認定或は量刑の資料としたものでなく、単に第一審判決を是認して控訴を棄却したに止まることは、原判決自体に徴して極めて明らかである。然らば原判決には判決に影響のある憲法違反があるとの主張は、その前提を欠くものといわねばならない。」（最決昭二六・六・八集五・七・一二五〇（新））。

この決定は、「控訴審が公判期日外で証人の尋問をするにあたり勾留中の被告人に実質的に立会の機会を与えていないから（弁護人に証人尋問期日の通知をし、勾留中の被告人には証拠決定の送達をしただけであった）、憲法三七条二項に違反する。」との上告論旨に対するものである。

控訴審における事実取調の方法としての証人尋問であっても、一審判決を破棄自判する場合の事実認定の資料とするのでなく、単に事後審査の資料とするのであれば、公判期日における証人尋問であっても、被告人をこれに立ち会わせる必要はないのであるから（前記【43】判決）、公判期日外の証人尋問調書を事実認定または量刑の資料とするのでなく、単に一審判決を是認して、控訴を棄却する場合には、勾留中の被告人に立会の機会を与えなくても憲法三七条二項に違反しないものと考えられる。

（ハ）　判例は、公判期日外または裁判所外における証人尋問の場合には、被告人が勾留中であれば弁護人にその機会を与えれば足るとすることは前述のとおりである（前記【28】【29】判決）。従って被告人に立会の機会を与えることすら必要でないとする判決（最判昭二七・一・一一集六・一・七八―後記【51】判決）があり、また被告人が勾留中でない場合でも、被告人にその日時・場所を通知して立会の機会を与えるだけで足るとする判決（最判昭二八・八・一八集七・八・一七四二―後記【53】判決）がある。

（三）　証人審問権行使の場所

(1)　裁判所の証人尋問と立会権　被告人に「充分に」証人審問権を行使させるためには、裁判所の行う証人尋問が公判期日において公判廷で行われようとまた裁判所外（判例は法廷外というが、裁判所外というべきである）で行われる場合でも、被告人に立会の機会を与えなければならないわけである。従って被告人は身体の拘束を受けている場合でも証人尋問に立ち会うことができることになっている（法一五七Ⅰ・一一三Ⅰ但）。

ここで問題となるのは、被告人の証人尋問権（立会権）と弁護人のそれとの関係である。大阪高裁の判決にいわく、「被告人は法律に通じない場合が多く何時証人を如何にして尋問するか知らないのが通常であろうが、かかる被告人の不利益を保護するために弁護人制度が設けられているのであって、即ち弁護人は被告人の包括代理人たる地位が認められているのである。従って原審裁判所が前記のように弁護人に証人尋問の機会を与えた以上それで充分であって、これが即ち被告人のために尋問の機会を与えたことになるのであって、必ずしも弁護人と被告人とに重ねて審問を促さなければならぬ理由はない（昭二四・一一・二 五特三・一〇二）」と。弁護人の立会（尋問）権は固有権であり、被告人の尋問権とは別個に存するのであるが、法律専門家である弁護人が反対尋問を行った場合には更に被告人にも反対尋問をさせる必要のない場合もあると考えられる。しかし弁護人は被告人の包括代理人であるから、弁護人が証人尋問をした以上被告人にこれをさせる必要がないというのは行き過ぎである。刑訴一五七条一項には「被告人又は弁護人」とあるけれども、これは「被告人および弁護人」と解すべきであるとする多数説（団藤・条解二七五頁、田中・証拠法二四一頁、小野・コンメンタール二七二頁）が正当であると思う（特に青柳・通論四〇三頁は、被告人にのみ立会の機会を与え、法律専門家たる弁護人にこれを与えない場合には、結局被告人の弁護権の行使を充分にさせなかったという意味で訴訟手続の法令違反として控訴の理由となることもあり得るとする）。

しかし最高裁判所の判例は、公判期日外の証人尋問の場合には、弁護人が立ち会っている以上、身柄を拘束されている被告人には立会の機会を与えなくても、憲法三七条二項の「充分に」審問の機会を与えたことにならぬとはいえないという見解をとっている。このことは、すでに前記【21】【28】【29】判決の示すところである。

【45】「憲法三七条二項は刑事被告人の証人審判権を保障した規定である。されば裁判所が諸般の事情からその必要を認め証人を裁判所外に召喚し又はその現在場所で尋問する場合には合理的に可能なかぎり、被告人にも証人尋問に立ち会う機会を与えてその審問権を尊重しなければならないことは言うまでもない。しかし同条には『すべての証人』とあるけれども、それは被告人が喚問を欲するすべての証人を意味するのではなく、

裁判所が必要と認めて尋問を許可した証人について規定しているものと解すべきである（昭二三・六・二三大法廷判決—後記【91】判決・筆者注）と同様に、『証人に対して審問する機会を充分に与え』るという規定の解釈にも自ら合理的な制限が伴うのであつて、裁判所が証人を裁判所外で尋問する場合に被告人が監獄に拘禁されているときのごときに、特別の事由なきかぎり被告人弁護の任にある弁護人に尋問の日時場所等を通知して立会の機会を与え、被告人審問を実質的に害しない措置を講ずるにおいては、必ずしも常に被告人自身を証人尋問に立ち会わせなくても前記憲法の規定に違反するものではない。本件記録によると、被告人の弁護人は、原審第一回公判においてXを証人として申請し、原審は、右証拠申請を採用して証人Xに対する証拠調を姫路少年刑務所において受命判事により行う旨を決定し、その証拠調の期日及び場所を被告人及び弁護人に通知している。そして受命判事は、弁護人立会の下に同証人を前記刑務所において尋問し、原審は、第二回公判において証人尋問調書の要旨を被告人に告げ意見弁解の有無を問うたところ、被告人は『何等ありません』と答えているのであつて、所論のように被告人が同証人を公判廷に喚問して被告人との対決を求めたことも、弁護人が被告人を姫路に連行して証人尋問の立会を請求して被告人の審問権の行使を求めたことも、これを認むべき何らの形跡がない。されば原審の右証拠調は、憲法の所論規定及び刑訴応急措置法一二条に違反するものではないから論旨は理由がない。」（最判昭二五・三・一五集四・三・三七一(旧)）。

この判決は、証人に対して審問する機会を充分に与えるという規定の解釈にもおのずから合理的な制限が伴うものであることを明言している。そして公判期日外における証人尋問に際して被告人が監獄に拘禁されている場合には、(一)証人尋問期日および場所を被告人および弁護人に通知して立会の機会を与えたこと、(二)弁護人が証人尋問に立ち会って被告人に代って証人尋問をしていること、(三)拘束中の被告人を証人尋問に立ち会わせるために法廷外の証人尋問の場所に連行することについて弁護人から申出がなかったこと等をあげて、このような条件が備った場合には、被告人が公判期日外の証人尋問に立ち会わなくても、被告人の証人審問権を実質的に害しない措置を講じたことになるから、憲法の要請を充したことになるというのである。

もちろん、憲法三七条二項の規定の解釈にもおのずから合理的な制限があることは認めねばならないが、また判旨のいうとおり、裁判所が諸般の事情からその必要を認めて証人を裁判所外に召喚し、またはその現在場所で尋問する場合には合理的に可能な限り被告人にも証人尋問に立ち会う機会を与えてその審問権を尊重しなければならないのであるから、被告人が監獄に拘禁されているという事情から、弁護人に立会の機会を与えただけで、果して被告人に審問権行使の機会を与えたといえるか疑問である（小野・コンメンタール二七二頁は、憲法違反とならなくても刑訴一五七条の解釈として疑問が残るとしている）。また判旨が「特別の事情なき限り」ということがいかなる意味をもつか明らかでないが、被告人または弁護人から特に被告人自身を立ち会わせてもらいたい旨の申出がなされた場合（後記【50】判決参照）、または事案の性質、軽重、被告人と証人との特殊関係等から、被告人自身を直接立ち会わせる必要の認められる場合ということであろうか。

【46】「原審第二回公判において、裁判長は、弁護人の請求に基いて、現場検証を決定し、A及びBを証人として採用し、両名を検証現場で尋問することを宣した。そうしてその後証拠調期日には昭和二三年六月五日午後一時と指定されたのであるが、六月三日附でA及びBから証人出廷延期願が提出されたので、同日附でその期日を同年七月五日午前一二時に変更する旨の決定がなされ、その期日の弁護人召喚状は六月二五日弁護人に送達されている（被告人に対してその通知があつたか否かについては、これを知るべき資料がない）。かくして七月五日には、原審判事全員が出張して、検事立会の上、検証並に証人尋問を行つたが、この際被告人はもと

より、弁護人も立会わなかつた。次で……第四回公判において……裁判長は七月五日の検証調書及び同日現場における証人A及びBの各証人尋問調書を取調べた。……被告人は『証拠として別に他に調べて貰いたいものはありません』と答え、弁護人も『他に申請する証拠はありません』と述べている。

以上の次第で検証現場における証人尋問に被告人は立会わず、又被告人にその期日を通知したという形跡もないけれども、当時被告人は勾留中であつたのであるから、かような場合には、必ずしも被告人自身を証人尋問に立会わせなくとも、被告人弁護の任にあたる弁護人に尋問の日時及び場所等を通知して立会の機会を与え被告人の証人審問権を実質的に害しない措置を講ずれば、憲法三七条二項の規定に対する違反を生じないことは、当裁判所の判例（昭二五・三・一五大法廷—前記【45】判決・筆者注—）に徴して明らかである。しかるに弁護人は、証人尋問期日の通知を受けたに拘らず自ら出頭しなかつたのであり、又出頭しなかつたことにつき正当の理由があつたと認めるべき資料もない。のみならず原審公判の証拠調に際して、裁判長から、証人Aの始末書及び同人に対する証人尋問調書等の各要旨を告げ意見弁解の有無を問い、他に利益の証拠があれば提出し得る旨を告げても、被告人も弁護人も他に申請する証拠はないと答えている。かように裁判所側において、被告人の証人審問権を害しないように相当の措置を講じた上で、Aの被害始末書記載の一部を証拠として採用したのであるから、原判決には所論の違法はない。」（最判昭二五・九・五集四・九・一六〇四(応)）。

この判決は、現場検証及びその現場における証人尋問の期日を変更した際弁護人に対してはその変更期日の召喚状を送達したが、被告人に対してはその期日の通知をした形跡がなく、その期日に被告人はもちろん弁護人も立ち会わずに証人尋問が行われた事件であるのに、この場合でも被告人の証人審問権を実質的に害しない措置を講じたのであるから、憲法違反にはならないとしている。そして、前記【45】を引用してはいるが、勾留中の被告人にはその期日を通知して立会の機会を与えなくても、弁護人に証人尋問期日を通知しただけで憲法の要請を充すとしているのであって、この点は前記判決より更に一歩を進めている。ただ現場検証の際に証人尋問がされることについては、被告人在廷の公判廷で決定されたのであるから、被告人も少くともそれは知っていたわけである。またこの判決は、被告人の証人尋問権を害しない実質的理由として、証人尋問調書を公判期日において証拠調をし、意見弁解の有無を問い、他に利益な証拠があれば提出し得る旨を告げたところ、被告人および弁護人は何もないと述べたことを附加している。従って被告人および弁護人の意見弁解のいかんによっては、裁判所は何らかの措置を採らなければならないことを前提としている。しかし、その場合裁判所の採るべき措置がいかなるものであるかについては、判決は何も明らかにしていない。

【47】「次に憲法三七条二項違反の主張については、記録によると第一審判決において証拠として引用している証人A、B、Cの各証言は、法廷外において取調べたものであり、その尋問の期日場所について刑訴一五七条二項の通知が被告人に対してなされておらず、従つて被告人はその尋問に立会つていない。当時被告人は本件第二事実につき名古屋拘置所に勾留中であつて、弁護人が右尋問に立会い反対尋問をしたことがわかるのである。而して裁判所が証人を裁判所外で尋問する場合に、被告人が監獄に拘禁されているときのごときは特別の事由なきかぎり弁護人に立会の機会を与えてあれば必ずしも常に被告人自身を証人尋問に立会わせなくても憲法三七条二項の規定に違反するものでないことは当裁判所の判例としているのである（昭二五・一〇・一一大法廷判決参照）。それゆえ憲法三七条二項違反の論旨はその理由がない。」（最判昭二八・三・一三集七・三・五六一（新））。

この判決も、裁判所外の証人尋問に当って、拘禁中の被告人に対してその尋問の期日・場所の通知をしていなかった事案である。しかし判決は、弁護人が右尋問に立ち会って反対尋問をしているのであるから憲法三七条二項の規定に違反するものではないとするのである。これは弁護人が被告人の証人審問権を代理行使しているとの考えに基くものと思われるが(弁護人の証人尋問権と被告のそれとの関係につき前記大阪高判昭二四・一一・二五特三・一〇一参照)、たとえ被告人が身柄拘束中とはいえ、証人尋問の日時・場所の通知さえしなくてもよいということになるか疑問である。被告人が身柄を拘束されていることは、必ずしも証人尋問に立ち会わない意思を明示したことにはならないからである(法一五七II)。

この点に関する高裁の判例としては、次のごときものがある。

【48】「裁判所が証人を裁判所外で尋問する場合に被告人が当時拘禁されているときの如きは、特別の事由がない限り、弁護人に尋問の日時・場所等を通知して立会の機会を与え、被告人の証人審問の権利を実質的に害しない措置を講ずるにおいては、被告人に右証人尋問の日時・場所を通知するをもつて足り、必ずしも常に被告人自身を証人尋問に立ち会わせなくても憲法三七条二項に違反するものではない。」(東京高判昭二六・八・一四東京高時報一・三・三六(新))。

この判決はその要件を最も緩和して、弁護人に証人尋問期日の日時・場所を通知して立会の機会を与えれば被告人の証人審問権を実質的に害しないとする前記【47】判決の趣旨に従うものである。

【49】「刑訴法一五七条一項は、被告人又は弁護人は証人尋問に立ち会うことができる旨規定し、同条二項、一五八条は裁判所が公判廷外において証人を尋問することを決定したときは、その尋問の日時・場所を被告人又は弁護人に通知し、その尋問事項をも知る機会を与えなければならない旨規定しているのであるが、上記のように公判期日において、裁判所外における証人尋問並びにその日時・場所について決定をなし、その後尋問事項を通知した以上、被告人は勾留中においても自らその尋問に立ち会い、証人尋問しようと思えば、その旨を裁判所に申し出て証人尋問の日時・場所に被告人自身の召喚を求めることもできる訳であるから、これによつて、被告人に対して右証人尋問に立ち会う機会を与えたものといいうるのであつて、裁判所としては、被告人

が勾留されているからといつて、更に進んで右証人尋問に立ち会うか否かを問い、被告人がこれに立ち会わない意思を表示しない限り、被告人を現場に出頭させ現実にこれに立会わせなければ被告人の立会権を害し、前記刑訴法の規定の趣旨に反するものと解すべきではない。本件において、被告人（又は弁護人）から被告人自ら前記証人尋問に立ち会いたい旨の意思を表示した形跡は認められないから、原裁判所が被告人を前示証人尋問の日時・場所に召喚しなかつたことは違法ではない。又公判廷外における証人尋問期日に被告人が立ち会つていなくとも弁護人がこれに立会つていれば、被告人の証人尋問権は確保されたものとして、憲法三七条二項の規定に違反するものでないことは判例（昭二五・三・一五最高大法廷判決―前記【45】判決・筆者注）の示すところである。」（東京高判昭二八・三・三東京高時報三・六・二二七（新））。

この判決も最高裁判所の前記【45】判決の趣旨を敷衍しているのであるが、ただこの判決において注目すべき点は、公判期日外の証人尋問に被告人から立ち会いたい旨を表示した場合には、裁判所は被告人を立ち会わせなければならないことを前提として、本件においては被告人から立ち会いたい旨の表示がなかったとしている点である。次の判決は、この点を更に明示している。

【50】　「刑訴法一五七条一項は、被告人又は弁護人は証人の尋問に立ち会うことができると規定し、被告人又は弁護人のいずれかに立会権を認めてそのいずれかに立会う機会を与えさえすれば右規定の要請を充たすことになるのであるが、本件の如くすでにあらかじめ被告人を立会わせてもらいたい旨の意思の明示されている場合には弁護人はとにかく、被告人には必ず立会うことのできるような措置を採らなくてはならないと解することこそ、右規定の趣旨を完うする所以である。してみれば原審の右証人に対する尋問は違法というの外なく、しかもこの違法は尋問を記載した調書を断罪の資料に供しているのであるから右の違法は判決に影響を及ぼすことが明らかである。」（東京高判昭二五・七・一二八集三・二・三四五（新））。

この判決は、検証現場における証人尋問に被告人を立ち会わせてもらいたい旨を弁護人から申し出たのに、被告人に証人尋問の日時・場所を通知せず、弁護人は証人尋問に立ち会ったが被告人がこれに立ち会わなかったために、右証人尋問を違法としたのであって、憲法の規定する証人審問権確保のために設けられた刑訴法一五七条の立会権の本質に合致した判決というべきである。

以上は第一審における裁判所外の証人尋問に関する判例であるが、判例は控訴審における裁判所外の証人尋問についても同様の立場をとっている。控訴審の裁判所外の証人尋問における被告人の立会権については、次の判例がある。

【51】　「論旨後段の証人Xの尋問については、その日時・場所が被告人に通知されていないことは所論のとおりであるが、記録によれば右Xについては、同年五月一九日原審が現場の検証をし、あらかじめ決定されていた各証人を尋問する際法廷外で、職権により同人をも証人として尋問しようと欲し、立会つていた検察官並びに被告人の弁護人にその意見を聴き、両者とも然るべくと答えたので、職権で同人を証人として尋問する旨証拠決定をなし即時同所で尋問したものであつて、右証人尋問には被告人の弁護人も立会い被告人のため同証人に対し直接尋問する機会は与えられたものであることが明らかである。『裁判所が証人を裁判所外で尋問する場合に、被告人が監獄に拘禁されているときのごときは、特別の事由のなき限り、被告人弁護の任にある弁護人の尋問の日時・場所を通知して、立会の機会を与え被告人の証人審問権を実質的に害しない措置を講ずるにおいては、必ずしも常に被告人に尋問の日時・場所を通知せず又被告人自身を証人尋問に立会わせなくても憲法三七条二項の規定に違反しない』ことは当裁判所の判例とするところである（昭二五・三・一五大法廷判決―前記【45】判決・筆者注、昭二五・九・五第三小法廷判決―前記【46】判決・筆者注）。そして本件においても、当時被告人が勾留中であつたことは記録に徴し明らかであるから、原審の前記措置は被告人の証人審問権を実質的に害しないものというべきである。のみならず、原審は右六月二八日の法廷で適法に証拠調をし、その供述の内容を朗読し、これを被告人に知らせてあるのであるから、右

証人尋問の際立会つていなかつた被告人としては刑訴一五九条二項により、右証人の供述が予期しない程著しく不利益ならば、更に右証人に必要な事項の尋問を請求することができるわけであるのに、被告人は固より弁護人もかかる請求はしていないのである。してみれば原審が右Xの証人尋問調書を事実誤認の論旨を検討する資料とし又量刑の資料としたからといつて、憲法三七条二項に違反することはない。」(最判昭二七・一・一一集六・一・七八(新))。

本件においては、検証現場であらたな証人尋問の決定がなされたため、身柄拘束中で検証に立ち会っていなかった被告人には、右証拠決定の告知がなされないままその現場で証人尋問が行われたのである。判決は被告人に対し証人尋問の日時・場所が通知されなかったことを問題としているが、証人尋問を行う旨の決定の告知さえ被告人にはなされていないのである。しかも判決は、証人尋問期日の日時・場所の通知は、被告人が拘禁されているときには、その弁護人に対してすればよいのであるから、被告人の証人審問権を実質的に害しない措置を講じたことになるとするのである。しかし被告人の立ち会っていない検証現場で職権で証人尋問の決定がなされたため、被告人はその証拠決定自体の告知さえ受けず、証人の氏名(法二九九I)も尋問の日時・場所(法一五七II)も知らなかったのであるから、ただ弁護人がそれを知っていただけで被告人の審問権を実質的に害しない措置をとったものといえるか甚だ疑問である。前記【45】および【46】判決の場合には、証拠決定の告知自体は被告人に対してなされていたのであるから、本件をこれらの場合と同様に論ずることはできない。証拠決定そのものを被告人が知らなければ、自ら防禦の方法を講ずることができないばかりでなく、防禦の方法について弁護人と打ち合せをする機会も全然ないのであるから、被告人の意思と全く遊離して弁護人が立ち会っただけでは、証人審問権が実質的に害されないとはいい得ない。また判旨は、刑訴一五九条の手続によって被告人が救済されるというけれども、同条の手続によって裁判所外の証人尋問手続の違法が是正されることにはならないと思う(同旨・平出・評釈集一四巻七頁)。

(2) 証人尋問の日時・場所の通知　被告人の立会権(尋問権)を確保するためには、証人尋問の日時および場所をあらかじめ被告人または弁護人に通告しなければならない(法一五七II)。裁判所外における証人尋問の際、被告人が拘禁されているときは、弁護人に証人尋問の日時・場所の通知をしてその立会の機会を与えれば、被告人の証人審問権に対する憲法の要請を充たすというのが、判例の見解である。これについては前述したが、更に、判例は、一般に裁判所外の証人尋問について、その日時・場所の通知については、被告人が拘禁中でなくても、弁護人に対してすれば、被告人に対してしなくても違法でないと解している。

(イ)　まず、第一審の裁判所外における証人尋問期日の通知に関して、次の判例がある。

【52】　「所論証人訊問につき原審が被告人自身に期日の通知をした事実は記録上認められない。しかし右証人は弁護人の申請したものであつて、其の弁護人には適法に通知してある。そして記録によれば、原審裁判所は所論証人訊問後の第二回公判において、右証人訊問調書の内容を被告人に読み聞け、その都度、意見並びに弁解の有無を問い且つ其の供述者の訊問を請求することが出来る旨及び利益の証拠があれば提出出来る旨を告げたのであるが、被告人は意見、弁解並びに利益の証拠は無い旨を述べ、弁護人からも何等の申出が無かつたことがわかる。これによれば右証人の訊問及び証言に付ては、被告人も弁護人も何等の異議もなく…、弁護人からも前記被告人に対する不通知に関する点に付き、何等の申出も無かつたからである。

本来公判廷外における訊問に対する供述は、それが其のまま証拠になるのではなく、其の調書が書証として証拠になるのであり、其の内容は必ず被告人に読み聞けられ、それに対して不満があれば、被告人は更に審問することを請求することができるのであるから、被告人に対する不通知は、実質上からいえば、そう大した意義のあるものではないといい得るであろう。しかし本件においては、前記の如く証人の申請者である弁護人には通知してあり、裁判長の事後の叮嚀な注意もあつて、被告人にも弁護人にも何等異議不服も無かつたものと見られるのであるから、かかる場合は、被告人自身に通知がなかつたとしても、それ丈で判決破毀の理由とはならないものと解する。」(最判昭二三・九・一二集二・一〇・一二二七(応))。

この判決は、第一審の裁判所外における受命判事の証人尋問期日を被告人に通知しなくても、弁護人に通知してあれば憲法三七条二項に違反しないとするのであり、被告人に対する期日の不通知は大した意義のあるものではないというのである。そして、その理由として、(一)本件証人が弁護人の申請したものであって弁護人に期日の通知をしてあること、(二)右期日を被告人に通知しなかったことに対して、右証人尋問調書を公判廷において証拠調をするときに、被告人から異議の申立がなかったこと、(三)裁判所外(判旨は公判廷外としているが裁判所外または公判期日外の意味と解せられる)における証人尋問に対する供述は、そのまま証拠となるのではなく、その調書が書証として証拠となるのであり、その内容は被告人に読み聞けられるのであるから、被告人はそれに対して不満があれば、証人尋問の請求ができること等を挙げている。

しかし、(一)弁護人請求の証人であっても、尋問の結果被告人に不利益な証人であることが判明する場合もあり得るから、弁護人請求の証人であっても被告人に審問の機会を与えなければならないこともある。従って右証人尋問期日の通知は被告人本人に対してすべきもので、弁護人に通知するだけでは不充分である。(二)次に、右のような証人尋問期日の不通知という被告人の本質的権利に関する手続違背が、被告人から公判廷における証拠調の際異議がなかったことによって瑕疵が治癒されるかは疑問である。(三)また、公判期日外における証人尋問調書は、公判廷において取り調べられるのであり、被告人はそれに対して不満があれば、刑訴応急措置法一二条一項により証人尋問の請求ができるから裁判所外における証人尋問期日の通知を被告人に対してすることは意味がないとしている点は、被告人の証人審問権は証人が供述する際に行使させることを要しない——公判廷において証人尋問の機会を与えれば、その証人の過去の供述はすべて証拠にしてよい——とする判例解釈に基くものと思われる。しかし「被告人に対する不通知は、実質からいえば、そう大した意義を有するものではない。」としているのは、応急措置法当時においては裁判所外の証人尋問調書は検察官等の供述録取調書と同様の取調を受けたためかとも解せられるが、証人の審問権を軽視するものであることは否定できない。前にも述べたように、受命判事の証人尋問調書が公判廷において取り調べられるときに被告人がそれに対して、反対尋問権を与えられることは、証人供述の際に被告人が反対尋問の機会を与えられることには決して及ばないからである(しかし応急措置法としては違憲というほどのことでなかったことについては前述した)。いずれにしても、本件においては、受命判事の証人尋問調書は、犯罪事実認定の証拠とはされなかったようであるから、この意味において被告人に対する期日の不通知は何ら違憲ではなかったのである(柏木・評釈九巻三五三頁は、結論としては正当であるが憲法三七条二項前段の要点を明らかにしない結果、論点を把えていないとする)。

次に控訴審の検証現場における証人尋問期日の通知に関して、次の判決がある。

【53】「論旨中には憲法三七条違反の主張もあるけれども、原審で所論検証及び証人尋問の決定がなされた公判期日には、被告人並びに弁護人が出頭していたので右検証及び証人尋問の行われる日時・場所は被告人並びに弁護人に判つていたのに拘らず、同人等はこれに立会わなかつたに過ぎないのであるから、かかる場合には被告人の前記憲法上の権利保護に充分な機会を与えたものということができることは、昭和二七年二月六日言渡大法廷判決(前記【43】判決―筆者注)の趣旨に徴して明らかである。それ故論旨は採用できない。」(最判昭二八・八・一八集七・八・一七四二(新))。

本件における弁護人の上告論旨は、「一般的に控訴審においては必ずしも常に事実の取調に被告人を立ち会わせ弁論の機会を与えなければならないと言うことはできないが、控訴審においても事実の取調の一方法として証人の尋問をし、これを裁判の根拠とする場合は、被告人の権利保護のため、被告人をこれに立ち会わせその証人を審問する機会を与えなければならないと解するのが憲法三七条二項の解釈からいって当然である。従って前述のように、被告人に立ち会わせず尋問の機会を与えなかった原審は明らかに右憲法の条項に違反するものである。」というのであった。

しかしこの判決は、前記【43】判決を引用して上告論旨を斥けたのである。控訴審において事実認定の資料とする証人の尋問をする場合には被告人、弁護人を立ち会わせて、証人を尋問する機会を与えなければならないことは、上告論旨のいうとおりであるが、尋問の機会を与えるということは、第一審においても、被告人、弁護人の現実の立会を要するのでなく、これらの者に尋問の日時・場所を通知して立会の機会を与え、被告人の審問権を実質的に害しない措置を講ずれば足ると解せられているのであるから、本件の場合においても同様に解してよいと考えられる。

(ロ)　次に裁判所外における証人尋問の場所の通知に関して、次の判例がある。

【54】「原審第二回公判調書によれば、裁判所は証人としてA、Bを現場で訊問する旨決定を言渡したこと並びに証拠決定をした裁判所の判事全員が検察官、弁護人、被告人の立会の上訊問した証人A、Bの訊問調書によれば、その訊問の場所として『横浜市中区本町国民学校に於て』と記載されていることはいずれも所論のとおりである。しかし証拠決定をして裁判所の判事全員が検察官、弁護人、被告人立会の上裁判所外で証人を尋問する場合における訊問の場所は、必ずしも証拠決定において指定した場所のみに限定されるものではなく天候、環境その他証拠決定施行の都合により指定場所の最寄りの適当な場所で訊問することを妨ぐるものではない。しかのみならず右決定にいわゆる現場とは、本件では犯行の場所である横浜市中区野毛所在横浜税務署前なる特定の一地点に限定したものではなく、犯人を逮捕した同市同区花咲町三八七番地先通称瓦斯橋附近に至る道路一帯をも包含する検証の地域を指す趣旨であること明らかであるから、右逮捕場所附近にある前示国民学校をも含むものと解することができる。」（最判昭二四・一二・一五集三・一二・二〇一一(旧)）。

この判決は、裁判所が犯行現場で証人尋問をする旨の決定をした場合でも、天候、環境その他の都合によって、指定の場所の最寄りの適当な場所で証人尋問をすることを妨げないとするのであるが、その証人尋問には弁護人および被告人が立ち会っていたので、被告人の証人審問権の行使には影響がなかったのであるから問題がないといえる。

【55】「次に同裁判所が受命裁判官をして検証現場に於て証人を訊問せしめると決定したのに、受命裁判官は五所川原警察署飯詰駐在所で証人A、Bを訊問したことは所論のとおりである。しかしながら、右駐在所が検証現場附近程遠からぬところであることは記録上窺われるところであり、受命裁判官が証拠決定を施行するに当っては、『検証現場』のいずれの地点において証人調を行うかを決することは、もとよりその権限に属するところであって、さらに現場附近最寄りの駐在所で証人調を行うがごときことも、該決定の趣旨に反しない限り、天候、環境その他証拠調の都合等を考慮して受命裁判官が自由に裁量し得べき権限に包含せられるもの

と云わなければならない。しかして、前記受命裁判官の駐在所における証人訊問は証拠決定の趣旨に反するものとは認められないばかりでなく、右訊問については、これに立会つた検察官も弁護人も何ら異議を述べず、又訊問調書が原審公判において、証拠調を施行せられた際にも、被告人からも弁護人からも、異議を述べた形跡のないことは記録上明白である。従つて原審が右調書を証拠としたことに所論のような違法はない。

所論検証並びに証人尋問については、その施行の日時場所が適法に弁護人に告知せられ、かつその施行にあたつては終始弁護人が立会つたことは記録上明らかである。右期日、場所が直接被告人に通知せられたことは記録上認められないけれども、被告人は現に右検証には全部立会つたこと、及び右証人尋問は検証に引き続いて、その検証現場附近程遠からぬ場所で行われたことは、また記録上明白である。しかして、右証人尋問に際して立会の弁護人から、被告人に対する通知に関して異議を述べた事跡もなく又原審が右尋問調書について公判において証拠調を施行した際にも弁護人からも、被告人からも何等異議を述べた事実を認められない。しからば原判決が右調書を証拠としたことについては、所論のような違法はない。」（最判昭二五・四・一四集四・四・五七九(旧)）。

この判決は、前段において、(一)受命判事の検証現場における証人尋問にあたり検察官および弁護人が立ち会った場合には、証拠決定の趣旨に反しない限り、最寄りの場所で証人尋問を行うことも受命判事の裁量によってできること、後段において、(二)検証現場における証人尋問の日時・場所が被告人に通知されなくても、被告人がその尋問に立ち会っておれば、証人尋問調書を証拠としても憲法三七条二項に違反しないこと、を判示している。

(一)の点は、前記【54】判決と同趣旨である。ただ本件の場合は、被告人は検証に立ち会わなかったのであるが、その事情は明白でない。受命裁判官は、その時の諸般の事情により、証拠決定の趣旨に反しない限り、証人尋問の場所を裁量によって変更できるとしても、検証現場から容易に判るあまり遠くない場所でなければ、被告人の立会権（尋問権）を阻害するおそれがある。

（二）の点は、右裁判所外の証人尋問の日時・場所が被告人および弁護人に通知されたにかかわらず、被告人はこれに立ち会わなかったけれども、弁護人が立ち会っており、しかも右弁護人が異議をいわないときは、右証人尋問調書を証拠としても違憲でないとするのである。被告人の証人審問権確保のためには、被告人に対し証人尋問に立ち会う機会を与え被告人の審問権を実質的に害しない措置を講ずることを要するが、被告人が現実にそれに立ち会うことを要するものとは解せられないことは前述のとおりであるから、判旨は正当である。

なお、検証現場において証人尋問を行う旨の決定の施行として、検証現場にほど近い場所で証人調をしても、証拠決定の趣旨に反しない旨の前記【54】【55】判決と同趣旨の高等裁判所の判決（東京高判昭二七・二・一七・東京高時報二・三・七九）がある。

(3)　尋問事項の告知　裁判所が裁判所外において証人尋問をする場合には、あらかじめ被告人および弁護人に尋問事項を知る機会を与えなければならない（法一五八II III、規一〇八）。これは被告人の証人審問権を確保するための規定である（この制度は米法上の証言調書 Deposition 作成の手続にならつたものである）。すなわち、被告人または弁護人は証人尋問に立ち会うことができるがその義務はないから、証人尋問が公判期日外において行われる場合には、尋問事項の告知を受けることにより、証人尋問に立ち会うか否かを決することができるようにするために、被告人の便宜をはかった規定である。この点に関する判例として、次のものがある。

【56】「第一審裁判所が、公判廷外の証人尋問において尋問事項書を被告人に送達することなしに証人を尋

問し、また記録上特段の事情がうかがわれないのに恐喝の被害者等の証人をその裁判所において公判期日外で尋問したことは認められるが、右証人尋問期日には被告人も弁護人も立ち会つておりながら何らの異議を述べることなく尋問を終了し、また後に公判において右証人尋問の証拠調が施行された際にも被告人、弁護人が異議を述べた形跡のない本件においては、尋問事項不送達の瑕疵及び特段の理由なしにその裁判所において公判期日外の証人尋問をした手続に対しては、これを違法として上訴することはできないものと解するのが相当である。従つて所論違憲論もその前提を欠くものといわなければならない。」（最判昭二九・九・二四集九・九・一五三四(新)）。

この判決は、(一)公判期日外の証人尋問に際し、あらかじめ被告人に尋問事項を告知しなかった瑕疵があっても、被告人、弁護人が何らの異議なく右尋問に立ち会い、その供述調書の証拠調にあたっても異議を述べなかったときは、これを違法として上訴の理由とすることはできないこと、(二)恐喝の被害者等を特段の事由がないのにその裁判所において公判期日外で尋問しても、立ち会った被告人弁護人に異議がなく、公判廷における右供述調書の証拠調に際しても異議を述べなかったときは、これを違法として上訴の理由とすることはできないことを判示している。

まず、(一)の点については、尋問事項告知の目的は前述のとおり、被告人の証人審問権確保のためであるが、本件の証人は恐喝または傷害の被害者であったので、尋問される事項は被告人にあらかじめ判っていた筈であるから、このような場合には尋問事項をあらかじめ被告人に告知しなかった違法は治癒されると解しても、被告人の証人審問権を害したものとはいえないと思う。

(二)の点については、本件の場合公判期日外で証人を調べるについて刑訴法第一五八条一項所定の特段の事由があったことについては明瞭でないのに（被告人の身分、経歴および傍聴人からの圧迫を顧慮したものと思われるが、法一五八Iの事由に当るかは明らかでない）、公判期日外において証人調をしているのであって、このような公判中心主義を無視するような措置は、法の予想しないところであるから、たとえその証人尋問調書が後に公判廷で取り調べられるとしても違法であると思う。しかし判旨は、被告人、弁護人が右の証人尋問に立ち会っていながら異議を述べず、またその証人尋問調書が公判廷において取り調べられるときに異議がなかったから、「違法として上訴することはできない。」としたのである。被告人および弁護人が立ち会っており、また異議の申立もなかったのであるから、被告人審問権の見地からは違憲というべきではないとしても、訴訟法違反の問題は残ると思われる（同旨・青柳・解説・昭二九・二七八頁。なお、判例は、受訴裁判所の構内で受命裁判官に証人尋問をさせるのは違法であると明言している（最判昭二九・九・二四集九・九・一五一七頁）。この判決は、右【56】判決と同日にしかも同じく第二小法廷によってなされた判決である点に注目しなければならない。（松本・解説・昭二九・二七五頁、小野・コンメンタール二七五頁）。

次に、控訴審の事実の取調としての裁判所外の証人尋問における尋問事項の告知に関する判例——

【57】「法廷外で証人を尋問する場合に裁判長が刑訴法一五八条二項によりあらかじめ検察官、被告人及び弁護人に尋問事項を知る機会を与えなかつたとしてもそれは憲法三七条二項の問題ではない。何となれば憲法の右規定は被告人に供述者を直接尋問する機会を与えることを要求しているのに、右刑訴法一五八条二項は単に証人に対する尋問事項を知る機会を与えることを命じているに過ぎず、尋問事項を知らせなくても被告人に証人を直接尋問する機会を与えれば憲法の要求は満されるものと解するを相当とするからである。故に本論旨は刑訴法四〇五条に規定する事由にあたらない。」（最判昭二七・一・一一集六・一・七八―前記【51】判決の前段・筆者注）。

この判決は、前述のとおり、控訴審において被告人が勾留されている事件で、裁判所が、被告人の立ち会っていない検証現場において、職権であらたな証人尋問の決定をし、即日その場で検察官、弁護人の立会上で証人尋問を実施したのであって、被告人に対しては、右証人尋問の日時・場所の通知がなかっただけでなく、証拠決定の告知もなく、尋問事項を知る機会も与えなかったのである。そして判旨は、尋問事項を知らせなくても違憲ではないとするのである。

被告人および弁護人に尋問事項を知らせる意義については、前述のとおり、被告人および弁護人がこれによって、裁判所外における証人尋問に立ち会うか否かを決定することを得させ、証人審問権を確保させる点にある。従って判旨のいうとおり、「尋問事項を知らせなくても被告人に証人を直接尋問する機会を与えれば憲法の要求は満される」けれども、本件においては、被告人は証人審問に立ち会っていないのである。被告人が拘禁されている場合には、弁護人を証人尋問に立ち会わせて証人審問権行使の機会を与えれば、憲法の要請は満されるとするのが判例解釈ではあるが、それは被告人が証拠決定を告知され、尋問事項を知る機会を与えられた場合であることを前提としなければならないと思う。判旨は正当ということができない（平出・評釈集一四巻一一頁は、判旨は訴訟法にも憲法にも違反せず、正当であるとされる）。

この点に関する高等裁判所の判例は、次のとおりである。

【58】　本件審理の経過に徴すると、証人Xは同人（本件窃盗の被害者―筆者注）の押収品還付書及び司法警察員に対する供述調書を被告人や弁護人が証拠とすることに同意しないので、更に検察官並びに弁護人双方から同人を証人として取調べられたい旨請求し且つ同人は当時病床にあつたからその現在場所たる住居にて取調べられたいという趣旨の請求を裁判所が許容しその尋問期日を告げたのである。故に尋問の場所を請求人等の指定する場所即ちX証人の住居に指定したものと解すべく、なお尋問事項も同人の判示被害当時の状況につき尋問するものであることは本件審理の経過に徴し被告人や弁護人に自ら明白であるから、特に更めてこれを被告人や弁護人に通知し又はその機会を形式的に与えなかつたとしても所論のように訴訟手続に関する法令違反とは解し難く、仮り

に違法としても右違反は本件に於けるように弁護人において尋問事項を知り得たような事情の下では原判決に影響を及ぼすものとは認められない。従って右証言を証拠としても何等違法な点はない。」(東京高判昭二六・六・九 集四・六・六五二(新))。

この判決は、裁判所が証人の臨床尋問をするに当り、被告人および弁護人がすでに証人に尋問すべき事項を知っていた場合には、改めてこれを告知しなくとも違法ではないとするもので、最高裁判所の前記【56】判決の趣旨に従うものである。

【59】「原審が証人を裁判所外で尋問するに当り、被告人に公判廷においてその日時場所を告知しているけれども、尋問事項を知らせていないこと及び被告人は当時勾留中で右証人尋問に立会しなかつたことは所論のとおりであるが、本件記録によれば、右証人は弁護人等の申請により尋問することとなつたものであつて、裁判所は弁護人にこれに立ち会い証人に対し詳細尋問しているところであり、且つ右証人尋問調書は被告人の出廷せる公判廷において朗読せられ同被告人より意見が陳述せられ、尚被告人及び弁護人より同被告人に尋問事項が告知されなかつたことについて異議を述べたこと、同被告人及び弁護人より右証人に対し必要な事項の尋問を請求したこと及び更に右証人を公判廷において尋問すべき請求をしたことは認められないから、同被告人が尋問事項を知らされなかつたために特に不利益を受けたものとは認められない。従つて右証人尋問の手続に同被告人に尋問事項を告知しなかつた瑕疵あるも右証人の尋問調書の証拠能力には影響ないものと解するを相当とする。」(東京高判昭二六・九・一四 東京高時報一・五・五四(新))。

この判決は、裁判所外でする証人尋問の際被告人に尋問事項を告知しなかった瑕疵があっても、被告人が尋問事項を知らなかったために特に不利益を受けたと認められないときは、その証人尋問調書の証拠能力には影響がないというのである。しかし、尋問事項告知の制度は、前述のとおり被告人の証人審問権を確保するために設けられているのであるから、被告人および弁護人があらかじめその尋問事項の内容を知っていた場合でない以上、右証人尋問調書の証拠能力に影響がないとは考えられない。被告人に尋問事項を告知してないのに、被告人が尋問事項を知らされなかったために不利益を受けたと認められないといい得る場合があり得るか疑問である。

【60】「刑訴法一五八条によれば、裁判所が裁判所外に於て証人の尋問をなすには検察官及び被告人又は弁護人の意見を聴き且つ予め検察官、被告人及び弁護人に尋問事項を知る機会を与えなければならぬ。今この後者について被告人が同条所定のような機会を与えられたか否かを調査するに、被告人が提出した前掲医師の診断書は刑訴規則一八三条所定の合式のものではないから、被告人は畢竟正当の理由なく指定の公判期日に出頭しなかつたものである。従つてかかる場合には被告人は法律上の義務懈怠の効果として右公判期日になされた訴訟行為についてはこれを知る責務がある。しかし右準備手続は同公判期日においてなされた形跡がないから公判期日外に行われたものと認むべきである。しかるに原審は該証人尋問事項を被告人に知る機会を与えた形跡はない。従つて上述のような事情の下に行われた尋問は違法である。しかし第三回公判期日には被告人並びに弁護人は各出頭し、裁判官から右準備手続に於ける証人尋問調書を読聞けたところ、被告人は事実は多少相違しておる旨の陳述をしただけで何等右尋問手続に異議を述べなかつたのであるから、前記の違法はいずれも責問権の拋棄によつて救済治癒されたものと解すべきである。従つて原判決が所論証人尋問調書を採用したのは正当であつて原判決には所論のような違法はない。」（東京高判昭二五・四・六集二・三・一七四（新））。

この判決は、あらかじめ被告人に尋問事項を知る機会を与えないで公判期日においてした証人尋問手続は違法ではあるが、その後公判期日において被告人および弁護人において異議を述べなかったときは、責問権を拋棄したものとして右違法は治癒されるというのである。被告人が証人尋問決定のなされる公判期日に出頭していて尋問事項の内容を知っていた場合には、正当の理由なく出頭しないことによって被告人は反対尋問権を拋棄したものとみることができるし、また公判期日を公判準備期日にきりかえる決定の告知を被告人に対してすることができなくても、被告人に異議がない限り、この手続の瑕疵も治癒されると解することができるから、この判決は正当である（拙稿・実務講座Ⅱ三七二頁）。ただし実務上はこのような事態の発生にそなえて、証拠決定の際被告人に対し、証拠調期日に正当の事由がなく出頭しないときは、公判準備期日として証人調をする旨をあらかじめ告知しておくことによって、問題の発生を未然に防止することができるであろう。

【61】「裁判所外において公判期日外に証人を訊問するについて被告人及び弁護人の意見を聞かないでその決定をし、且つあらかじめこれら訴訟関係人に証人に対する尋問事項を知る機会を与えずこれを施行したことは、同法一五七条、一五八条、二八一条の規定に違反する不当な処分であることまことに所論のとおりである。故にかような裁判所の違法な処分によつて作成された前記検証調書並びに証人尋問調書は、同法三二一条二項の検証調書又は同条第一項の裁判官の面前における供述を録取した書面として無効のものといわなければならない。」（東京高判昭二五・一二・一四特一三・二六(新)）

この判決は、尋問事項を知る機会を与えずに施行した公判期日外の証人尋問の施行は違法の処分であるから、その際作成せられた裁判官の面前調書は証拠能力がないと明言している。この判旨は正当である。

五　証人審問権と伝聞法則の例外

憲法三七条二項前段は、被告人の証人審問権を確保するために伝聞法則を規定したものであるというのが通説であり、最高裁判所の判例も結局において、この通説の見解を承認するものであることについては、証人審問権の本質の項において述べたとおりである。刑訴法三二〇条は、右憲法の規定を受けて伝聞証拠禁止の原則を示し、三二一条ないし三二七条において、その例外を規定している。そしてその例外規定は、アメリカ法にならって信用性の情況的保障と必要性が認められる場合に、被告人の反対尋問を経ていない供述に代わる書面および伝聞供述に証拠能力を与えるものであることもまた学説の認めるところである。すなわち、その供述のなされるときに被告人に反対尋問の機会を与えていなくても、これを信用するに足る情況があり、しかもそれを証拠にする必要性のあるものは、その任意性を慎重に調査させた上、これに証拠能力を認め、証明力を検討させることとなっているのである。これは当事者主義の要請に対する実体的真実を尊ぶ職権主義に基く例外であるが、この例外規定が余りに広範囲であるために小野博士の批判があることは前述のとおりである。また、わが国は陪審裁判を採用しておらず、専門的裁判官が裁判するのであるから、このような広範囲の例外があっても不都合ではないとする見解も存する（本田等「伝聞法則の例外」実務講座Ⅷ一八八六頁）。

この伝聞法則の例外規定である刑訴三二一条ないし三二七条に関する判例を網羅的に取り扱うことは、本稿の目的から必ずしも必要でないので、証人審問権の観点から特に重要なものを選び、(一)被告人以外の者の供述調書、(二)共同被告人の供述調書、(三)書面の意義が証拠となる証拠物、(四)刑訴三二三条の書面、(五)伝聞供述、(六)同意書面、(七)伝聞法則の適用されない場合、以上七項目に分説する（共同被告人に関する問題および証拠とするについての同意の問題は、それ自体本叢書の他の研究項目となつている）。

(一)　被告人以外の者の供述調書

刑訴法三二一条一項の規定については、学説上違憲論があることは周知の事実である。すなわち、江家教授は三二一条一項一号および二号を違憲とされる(江家・基礎理論九八頁)。その理由は、次のとおりである。まず同条項一号、二号の各前段についていうと、検察官の面前であるということはもちろん、裁判官の面前であるというだけでは反対尋問に代替しうる信用性の情況的保障にはならない。またアメリカ法では、供述者の死亡でさえ必要性を充たさないから、供述不能というだけではもちろん必要性を充たさない。従ってその証拠能力を認めることは、憲法三七条二項前段に違反する。同条項一号後段、二号後段は、もし自己矛盾の供述が独立証拠としては用いえないものとするならば当然憲法違反である。もし公判廷で反対尋問すれば、以前の供述も独立証拠として採用しうるとしても、反対尋問の機会が充分に与えられたといいうるか疑問である。ただ同条項三号は、特に信用すべき情況があるときという信用性の情況的保障が要件となっているから合憲であるとされるのである。田中、平場および高田の諸教授もほぼ同様の趣旨から、同条一項二号前段を違憲であるとされる(田中・証拠法一四七頁、平場・講義一九五頁、高田・刑訴法二四二頁)。しかし通説は、三二一条一項の規定全部を合憲とする。

(1)　刑訴三二一条一項一号の書面

刑訴三二一条一項一号の書面としては、主として同二二六条ないし二二八条の規定による証人尋問調書、同一七九条の証拠保全手続における証人尋問調書がこれに当るが、それに限らない。文字どおり裁判官の面前における供述を録取した書面であればよい。同一事件のそれであることを要せず、別事件のそれでもよい。別事件の公判調書でも、また公判準備における被告人以外の者の供述調書でも刑訴二二六条ないし二二八条の規定による証人尋問調書については、前記【37】および【38】の高裁判決があったが、更に最高裁の決定(最決昭二九・二・一一集八・二・一八)は、「刑訴三二一条一項一号の裁判官の面前における供述を録取した書面とは、当該事件において作成されたものであると他の事件において作成されたものであるとを問わないものと解する。」と判示している。

別事件の公判調書については、これを刑訴三二三条三号の書面とした高裁判決(高松高判昭二四・九・一〇特一・三四五頁)があるが、刑訴三二一条一項一号の書面と解するのが通説である(小野等・コンメンタール六九六頁、高田・刑訴法二四〇頁)。判例としては、次の高裁判決がある。

【62】「惟うに併合前に於ける他の被告人の事件は全く別個の事件であるから該事件に於て取調べた証拠を引用して併合後に於ける爾余の被告人に対する罪証に供せんとする場合には須らく刑訴三二〇条以下の規定に従い夫々所定の手続を履践せなければならないのであつて無条件に転用し得るものでは無いのである。即ち前記証人A、Bの各供述は被告人Xに対しては証言であるが爾余の被告人に対しては供述記載となり、右A、Bの供述は被告人Yに対しては全部供述記載の関係に立つものであるから原審は検察官の請求又は職権を以て右証言の内容を記載した公判調書を刑訴三二一条一項一号の書面として提出し、所定の手続を経なければX以外の各被告人に対する断罪の資料として採用することが出来ないのである。この事は被告人の反対尋問を根幹とする刑訴三二〇条以下の精神に徴し自明の理であつて従つて同法三二一条二項の規定は被告人に反対尋問の機会を与えられた場合即ち同一事件の場合であると解すべきであるから原審が前記の手続を採らず直ちにX以下の各被告人に対し前記証人の供述を其儘引用し、以て罪証に供したのは明に判決に影響を及ぼすべき採証法則の違反あるものと謂わなければならない。」(名古屋高判昭二五・一・一二特六・八八(新))。

この判決が、別事件の公判調書は被告人に反対尋問の機会を与えていないから刑訴三二一条二項の書面に当らないとしている点は正当であるが、それが刑訴三二一条一項一号の書面となる根拠については説明していない。裁判官の面前において、宣誓の上なされた供述である点に信用性の情況的保障が存在するためであろうが、更にこの調書の記載内容に対して、公判廷において被告人に証人審問権を行使させることにより、憲法上の要請が充たされるとする判例解釈に基づくものと思われる（同旨・小野等・コンメンタール六九六頁）。

別事件の公判準備における被告人以外の者の供述調書については、次の高裁判決がある。

【63】「右にいうところのAの証人調書とは、東京地裁K裁判官が新潟地裁裁判官の嘱託により被告人X・Yに対する衆議院議員選挙法違反被告事件に関する証人Aに対する証人尋問調書を指称するものであることは明かである。そこでAに対するK裁判官の尋問調書について考えるのに右は本件被告事件（被告人Zに対する衆議院議員選挙法違反被告事件―筆者注）とは別事件の公判準備における被告人以外の者の供述を録取した書面であるから、刑訴三二一条二項は適用されないものと解すべく、被告人においてこれを証拠とすることに同意しない限り同法三二一条一項一号に規定する場合のほかは証拠とすることはできないものといわねばならない。」（東京高判昭二六・七・一七特二一・一四二）。

別事件の公判準備調書について刑訴三二一条二項の適用がないことは、公判調書の場合と同様である。そしてこの判決も、それが刑訴三二一条一項一号の書面となるかについては、別段の説明をしていないが、別事件の公判調書について述べたと同様に解されるであろう。

(2)　刑訴三二一条一項二号の書面

刑訴三二一条一項二号前段の書面については、次の判例がある。

【64】「本件抗告の理由は、……原審は右事件の公判において検察官から証拠調を請求した(一)検察官の面前における(イ)A、B、C、(ロ)X、Y、Zの各供述録取書を受理して証拠調を施行した。しかし右(イ)の各供述調書は公判において証人として尋問されるに当り刑訴法一四六条により証言を拒んだのであり、……法三二一条一項二号に定める要件を備えていない。……そこで弁護人は右の供述調書は適法な証拠書類でないから公判において受理さるべきでないと異議を申立てたのに拘らず原審は右の異議を却下してこれらの証拠書類を受理して証拠調を施行したのであるがそれは憲法三七条二項三一条に違反するというのである。

しかしながら、原審が公判において所論の供述録取書を証拠書類として受理することができるかどうかは、もっぱら刑訴法三二一条……の解釈如何によるのであるから、全く訴訟法上の問題であって憲法上の問題ではない。被告人は原審の手続が憲法三七条及び三一条に違反すると主張しているけれども、それは訴訟法の違反を実質において主張するに当り強いて憲法問題に結びつけているに過ぎない。ところでこのような訴訟手続に関し判決前にした決定であってももっぱら訴訟法上の問題にとどまり憲法上の問題に触れないものに対しては、当裁判所に抗告することができないことは刑訴法四三三条一項によって明らかであるから、当裁判所は所論刑訴法上の解釈上の争点について判断を示すことはできない。」(最決昭二四・九・七集三・一〇・一五七三(新))。

この決定は、検察官の面前調書の証拠調に関する異議申立却下決定に対する特別抗告事件についてなされたものであるが、抗告理由の一つとして、証人が刑訴法一四六条によって証言拒否をした場合にその証人が検察官の面前でした供述を録取した書面を裁判所が受理して証拠調をしたことを攻撃しているのである。しかし抗告人は、証人が証言拒否権を行使した場合も三二一条一項二号に該当するものであるとしてした原審の措置をとらえて、「例外規定なる刑訴法所要の条件を越脱した証人供述調書を証拠とすることは、憲法が原則的に被告人に保証した証人に対する反対尋問権を不法に喪失せしめるもので憲法違反である。」と主張したのみで、抗告人自ら、「刑訴法三二一条の規定自体が憲法違反の議論があるかも知れぬが、茲には其れまで主張するものではない。」と述べた。そのために、最高裁判所は前記のとおり、刑訴法三二一条一項二号前段の合憲性には正面から触れずに抗告を棄却したのである。しかしながら、刑訴法三二一条が憲法違反であるかどうかは職権調査事項であるから、もし最高裁判所が同条を憲法違反であると考えたのであれば、恐らくそれを理由にこの抗告を容れたであろうから、抗告を棄却したのは、規定を憲法違反でないと判断したからであると推測される（同旨・田中「証人審問権に関する判例」法曹時報三・六・一八頁）。

【65】「しかし憲法三七条二項は、裁判所が尋問すべきすべての証人に対して被告人にこれを審問する機会を充分に与えなければならないことを規定したものであつて、被告人にかかる審問の機会を与えない証人の供述には絶対的に証拠能力を認めないとの法意を含むものではない（昭二四・五・一八大法廷判決――前記【8】判決・筆者注）。されば被告人のため反対尋問の機会を与えていない証人の供述又はその供述を録取した書類であつても、現にやむことを得ない事由があつて、その供述者を裁判所において尋問することが妨げられ、これがために被告人に反対尋問の機会を与え得ないような場合にあつては、これを裁判上証拠となし得べきものと解したからとて、必ずしも前記憲法の規定に背反するものではない。

刑訴三二一条一項二号が検察官の面前における被告人以外の者の供述を録取した書面について、その供述者が死亡、精神若しくは身体の故障、所在不明、若しくは国外にあるため公判準備若しくは公判期日において供述することができないときは、これを証拠とすることができる旨規定し、その供述について既に被告人のため反対尋問の機会を与えたか否かを問わないのも、全く右と同一見地に出て立法ということができる。そしてこの規定にいわゆる『供述者が……供述することができないとき』としてその事由を掲記しているのは、もとよりその供述者を裁判所において証人として尋問することを妨ぐべき障碍事由を示したものに外ならないのであるから、これと同様又はそれ以上の事由の存する場合において同条所定の書面に証拠能力を認めることを妨ぐるものではない。されば本件における如く、Aが第一審裁判所に証人として喚問されながらその証言を拒絶した場合にあつては、検察官の面前における同人の供述につき被告人に反対尋問の機会を与え得ないことは右規定にいわゆる供述者の死亡した場合と何等選ぶところはないのであるから、原審が所論のAの検察官に対する供述調書の記載を事実認定の資料に供した第一審判決を是認したからといつて、これを目して所論の如き違法があると即断することはできない。尤も証言拒絶の場合においては、一旦証言を拒絶して爾後その決意を翻して任意証言をする場合が絶無とはいい得ないのであつて、この点においては供述者死亡の場合とは必ずしも事情を同じくするものではないが、現にその証言を拒絶している限りにおいては被告人に反対尋問の機会を与え得ないことは全く同様であり、むしろ同条項にいわゆる供述者の国外にある場合に比すれば一層強き意味において、その供述を得ることができないものといわねばならない。そして本件においては、Aがその後証言拒絶の意思を翻したとの事実については当事者の主張は勿論これを窺い得べき証拠は記録上存しない。それ故論旨は理由がない。」(最判昭二七・四・九集六・四・五八四(新))。

この判決は、いわゆる「春日事件」に対する大法廷の判決であって、刑訴訟三二一条一項二号前段の検察官調書の合憲性を認めたものである。その理由として、被告人に審問の機会を与えなければ証人の供述は絶対に証拠にできないものではなく――憲法三七条二項の証人を形式的意義に解する(前記【8】判決と同様)――例外の存することを認め、刑訴法三二一条一項各号列記の事情はその例示であるとする。従って証人が証言を拒絶する場合に、被告人が反対尋問権を行使できないのは、証人死亡の場合と同様であるから、これに準ずべきであるとするのである。すなわち、証人が証言を拒絶した場合には、検察官調書を証拠とする必要性は、証人の死亡の場合と同様であるから、これに証拠能力を認めるというのである。当事者主義的理念に基く被告人の証人審問権の確保の観点からはその合憲性を肯定することはできないが、実体的真実発見をも重視する職権主義を加味したわが国の訴訟の構造と検察官が単なる当事者ではなく、行政的な目的を追求する意味において当事者的性格をもつものである点を考慮すれば、これを合憲とする学説に従わざるを得ないであろう(平野・刑訴法六六頁)。

【66】「職権を以て調査するに、右供述調書の供述者は、いずれも第一審の公判廷において証人として喚問されながら事件に関する事項につき証言を拒絶し供述しなかつたものであることが記録上窺い知るに十分である。そして刑訴三二一条一項二号前段の規定に『供述者が……供述することができないとき』として、その事由を掲記しているのは、その供述者を裁判所において証人として尋問することを妨ぐべき障害事由を示したものに外ならないものであつて、裁判所に証人として喚問されながら、その証言を拒絶したような場合は、供述者の死亡した場合と何等選ぶところはなく、同条項同号にいわゆる供述者の国外にいる場合に比すれば一層強き意味においてその供述を得ることができないものであるから、同条項同号前段により、その検察官の面前における供述録取書を証拠とすることを妨げないことは、夙に当裁判所大法廷の判例とするところである(昭二七・四・九判決――前記【65】判決筆者注)。果して然らば、検察官より前示供述調書につき刑訴三二一条一項二号により証拠調の請求があつた場合においては、裁判所は、弁護人から異議があつてもこれが証拠調を許容すべきものであること多言を要しない。しかるに本件第一審裁判所が前示のごとくこれが証拠調の請求を却下したことは違法であつて、論旨に対し判断を与えるまでもなく、刑訴四一一条一号により原判決並びに第一審判決を破棄しなければ著しく正義に反するものといわなければならない。」(最判昭二八・四・一六集七・四・八六五(新))。

この判例は、前記【63】判決と同様刑訴法三二一条一項二号前段について、証言拒絶を死亡に準ずる例外事由として検察官調書の証拠能力を認めたのである。ただ判決の後段において、右のような検察官調書取調の請求を却下した第一審裁判所の措置を刑訴三〇〇条との関係から違法であるとしているが、取調請求のあった書面については、裁判所は書面の内容を検討し、刑訴三二一条一項二号後段の要件の有無を調査し、証拠能力がないと認めるとき、またはその取調の必要がないと認めるときは、必ずこれを採用して取り調べなければならないものではなく、裁判所はこれを却下することができるものと解せられるから（検察官側の証拠調の請求であるから証人要求権の要請もない）、この点に関する限り判旨は疑問である。この点について、破棄された原審仙台高裁の判決（昭二七・五・三〇集五・一二・一七六一）は、「検察官が刑訴三〇〇条の規定に基き検察官の面前における供述録取書の取調請求をした場合、裁判所は常に必ずしも該書面の取調をしなければならないものではなく、その他の証拠により該書面が信用すべき情況にないことが認められたときはその取調をすべきものでない。」としていたのであって、この判旨を正当と考える。

以上の判例は、いずれも証言を拒絶した場合を死亡等の事由に準じて公判期日において供述することができない場合に該当するとした判例であるが、右の外記憶を失ったため供述できない場合もこれに当るとした判例（最決昭二九・七・二九集八・七・一二一七）がある。

右の点に関する高等裁判所の判例は、次のとおりである。

【67】「従つて刑訴三二一条一項一号及び二号はいずれも『その供述者が死亡、精神若しくは身体の故障、所在不明若しくは国外にいるため』と規定するのは、それは公判準備又は公判期日において供述することができない事由として例示的に掲げたものと解すべきであつて、本件のように証人が証言を拒絶したために、その証人からは重ねて公判廷で証言を得ることが不可能な場合にも本条によつて他の条件を充足し、信用し得べきも

のであることが保障される限り、その証人の供述を録取した書面を証拠とすることができるものとしなければならない。……以上のように解するとすれば、被告人にとつては憲法三七条二項によつて認められた証人に対する審問権を奪われる結果になるのであるが、刑訴法三二一条一項一、二号に文言上明らかな場合でも、既に被告人の審問権は奪われているのであつて、それは被告人の審問権を奪つても尚且つその書面に証拠能力を与える必要があるからであり、又それが故に法律は厳重にその供述の信用性の保障を要求し第二号但書の制約を設け又は第三二五条の規定を置いたのである。被告人の責に帰すべからざる事由によつて被告人の証人に対する審問権を奪われる結果となることは、証人の証言拒絶の場合も、証人の死亡の場合にも同様であつて、被告人のためには気の毒であるが、前記のような必要性の上から已むを得ない制度といわなければならない。」（札幌高判昭二五・七・一〇集三・二・二八三）。

この判決も証言拒絶の場合を証人の死亡の場合に準ずる例示的場合として、その理由を詳細に説明している。

【68】「憲法三七条二項には被告人にすべての証人に対して審問する機会を充分に与えられるべきことを規定しているのであるが、これは伝聞証拠が不当に被告人の不利益に利用せられた過去の歴史に鑑みて、反対尋問を経ず従つて証拠価値の少いにも拘らず信用せられる危険性のある伝聞証拠を排斥することによつて、被告人に不当な不利益を与えることをなくしようとする精神であつて、これによつて被告人に不当な不利益を与えることを許したものではない。伝聞の証拠は、たといその供述が正確であり且つ信用すべきものである事情が充分に保障せられている場合でも、絶対にこれを証拠とすることができないとするのは、被告人の利益を強調するの余り、正当に処罰せられなければならない者を逸することによる社会全般の不利益を顧みない議論であり、被告人の権利の濫用であつて、憲法自体このような事態を肯定するものではない。従つて被告人がもともと審問権を有するにかかわらずこれを行使することができなかつたから、宣誓すべき証人が事実上、宣誓を拒

否した以上、同人が事件につき供述すると否とを問わず、その者を証人として尋問し適法な証言として再現することを妨ぐべき事由があるときに当るものというべきである。されば本件における如く、米国人Hが本件の証人として宣誓の上、証言すべきであるのに（改正前の行政協定一七条三項(6)参照）事実上、宣誓を拒否した場合にあつては、法三二一条一項二号前段により、同人の面前における供述を録取した書面に証拠能力を附与する旨の規定は、検察官の面前における供述者を証人として尋問し犯罪事実の存否の認定に供し得る適法な証言として再現することを不可能ならしめる事由がある場合においては、この者の検察官に対する供述調書に証拠能力を認める趣旨の規定と解すべきところ、宣誓をさせるべき証人を宣誓させないで尋問した証言は不適法な証言で証拠能力を有しないものであることを充分に考慮した条件を附けてこれに証拠能力を認めることとした刑訴法三二一条は、憲法違反をもつて目すべきではない。」（札幌高判昭二五・七・一〇集三・二・二九二）。

この判決は、刑訴法三二一条一項の合憲性を断言し積極的に理由づけている異色のある判決というべきである。

【69】「惟うに、刑訴法三二一条一項二号の『供述者が死亡等の事由のため、公判期日等において供述することができないとき』検察官の面前における供述を録取した書面に証拠能力を附与する旨の規定は、検察官の面前における供述者を証人として尋問し犯罪事実の存否の認定に供し得る適法な証言として再現することを不可能ならしめる事由がある場合においては、この者の検察官に対する供述調書に証拠能力を認める趣旨の規定と解すべきところ、宣誓をさせるべき証人を宣誓させないで尋問した証言は不適法な証言で証拠能力を有しないものであるから、宣誓すべき証人が事実上、宣誓を拒否した以上、同人が事件につき供述すると否とを問わず、その者を証人として尋問し適法な証言として再現することを妨ぐべき事由があるときに当るものというべきである。されば本件における如く、米国人Aが本件の証人として宣誓の上、証言すべきであるのに（改正前

の行政協定一七条三項(6)参照）事実上、宣誓を拒否した場合にあつては、刑訴三二一条一項二号前段により、同人の検察官に対する供述調書を証拠とすることができるものと解すべく、該調書につき証拠調をしこれを判示事実認定の資料に供した原審の訴訟手続には何等所論のような違法は存しない。」(仙台高判昭三二・六・一九集一〇・六・五〇八)。

この判決も前記【68】判決と同じく、証人が宣誓を拒絶した場合には、適法な証言を得られないことにおいて、証言拒絶の場合と同じく証人が死亡した場合に準ずるとしている。

刑訴三二一条一項二号前段の検察官調書に対する反対尋問権行使のための再尋問の許否について、次の判例がある。

【70】「公判期日に証人が証言を拒否したため刑訴三二一条一項二号によりその検察官に対する供述調書を証拠として取り調べた後、右証人が公判廷で真実を述べるといつているからとの理由で再度の尋問の請求があつても裁判所は、必ず右尋問請求を許容しなければ違法であるということはできない。」(最判昭三二・一一・二二集一一・一〇三(新))

本件はいわゆる「横川事件」として知られた強盗殺人未遂被告事件の判決で、その事実関係は、次のとおりである。すなわち、証人Aは被告人XおよびY外三名と共謀して某の住宅の雨戸に火焔瓶を投げつけたが、これを焼燬するに至らなかったという事実について第一審の公判期日に証人として尋問を受けた。しかしAは、自己が有罪の判決を受けるおそれがあるからというので証言を拒否した。第一審裁判所は同人に対する裁判官の証人尋問調書および同人の検察官調書を刑訴三二一条一項一号および二号により証拠として取り調べた。ところがその後弁論終結の間際になって、弁護人から、Aが従来の自白は虚偽であったと告白し、この法廷で真実を供述したいといっているからという理由でAの再尋問の申請がなされたが、裁判所はこれを却下した。

これに対して、弁護人は、証人の証言が得られないことを理由として書面の証拠能力が認められた場合に、弁論終結前にその事情が変って、その証人の証言を得ることが期待できるようになったならば、その証人を更に尋問した上で、あらためて刑訴三二一条一項各号により右書面の証拠能力の有無を決定すべきである。従って証人の再尋問を許すべきであると主張したが、判旨はこれを斥けたのである。

公判期日における供述に代えて書面を証拠とすることは、例外的に許されるのであり、刑訴三二一条一項一号、二号各前段および三号の場合は、供述者の公判準備または公判期日における供述が得られないことが、書面の証拠能力を認める根拠になっているのである。証人が証言を拒絶した場合にはこれを死亡等に準ずるやむを得ない場合に当るとしてその証拠能力を認めるのであるから、事情が変って当該証人から供述が得られるようになれば、その証人を尋問し、被告人に反対尋問権を行使させた上で、検察官調書の証拠能力を決定すべきであると解することも理由がある。前述のごとき反対尋問権の行使を厳格に解する立場（前記江家等説）からすれば当然の結論である（小野等・コンメンタール六八九頁参照）。しかし検察官調書の証拠能力はその証拠調のときに法定の条件を具備していたか否かによって決すべきで、その後の事情の変更によって書面の証拠能力は影響を受けることはないとの見解（前記本田等説）からすれば、この判決と同じ結論となる。少くともこのような場合には、再尋問をすることが被告人の反対尋問権を確保させる意味から望ましいことであるから、再尋問を許すことが相当であると思われる（三井・判例解説・法曹時報九・三・九一頁参照）。

次に、刑訴法三二一条一項二号後段の書面について、次の判例がある。

【71】「所論は刑訴法三二一条一項二号後段の規定は憲法三七条二項に違反して無効であり、原判決も憲法に違反すると主張する。しかし所論は原審で主張、判断されていない事項に関する主張であるのみならず、憲法三七条二項が、刑事被告人は、すべての証人に対して審問する機会を充分に与えられると規定しているのは裁判所の職権により又は当事者の請求により喚問した証人につき、反対尋問の機会を充分に与えなければならないという趣旨であつて、被告人に反対尋問の機会を与えない証人その他の者の供述を録取した書類を絶対に証拠とすることを許さない意味を含むものではなく、従つて法律においてこれらの書類はその供述者を公判期日において尋問する機会を被告人に与えれば、これを証拠とすることができる旨を規定したからといつて、憲法三七条二項に違反するものでないことは、当裁判所大法廷判例の示すところであるから（昭二四・五・一八判決―前記【8】判決・筆者注）、刑訴法三二一条一項二号後段の規定が違憲でないことはおのずから明らかである。そして本件において、第一審裁判所は所論A、B、Cを公判廷において証人として尋問し、被告人及び弁護人に反対尋問の機会を与えた上その各証言と共に右両名の検察官に対する各供述調書を被告人の証拠とすることの同意を得て、証拠に採用しているのであるから、これを是認した原判決に所論のような違憲はなく、論旨は理由がない。」（最判昭三〇・一一・二九集九・一二・二五二四(新)）。

この判決は応急措置法のもとにおける前記【8】判決の趣旨から、刑訴法三二一条一項二号後段の規定が違憲でないこともおのずから明らかであるとしている。法三二一条一項二号後段の場合は、同条項二号前段の場合と異り、裁判所は公判廷において供述者を証人として喚問した結果、証人の公判廷における供述と検察官の面前における供述の信憑力を比較検討する機会を与えられるのであり、その結果検察官の面前における調書の証拠能力を認めることになるので、二号前段の場合よりもその合憲性の説明は容易である。同条項二号前段を違憲と解する学説（田中・平場・高田）も同号後段についてはこれを合憲と解していることは前述のとおりである。

(3) 検察官調書取調の時期

検察官調書を刑訴法三二一条一項二号後段により証拠とするには、原供述者を公判準備または公判期日に出頭させて供述させることが前提とされている。そして原供述者が「前の供述と相反するか若しくは実質的に異った供述」をしたことが必要であり、かつ「公判準備又は公判期日におけるよりも前の供述を信用すべき特別の情況」がなければならない。検察官調書が右の要件を具備するためには検察官調書記載の供述（前の供述）に対して公判期日において証人尋問の際に被告人に反対尋問をさせることを要するであろうか。もしこれを積極に解するならば、次に、検察官調書を証人尋問の行われる公判期日にその証人の在廷中に提出させてこれを取り調べることまで要するかが問題となる。

まず、検察官調書記載の供述（前の供述）に対しても被告人に反対尋問をさせる必要があるかの点で積極消極の両説がある。

積極説は、「反対尋問の機会を与えない公判外の供述が証拠となり得るのは、公判で反対尋問の機会を与えうることにあるのであるから、検察官の面前における供述の録取書を証拠とするためには、これによって不利益を受ける当事者（多くの場合は被告人）に必ず反対尋問の機会を与えなければならない。現在の実務においては、証人を退廷させた後に参考人の供述録取書を提出し、その後証人の再召喚もしないことがあるようであるが、これは違法であるといわねばならない。」とし（江家・基礎理論一〇二頁）、また「注意しなければならないのは前の供述についても公判期日又は公判準備で被告人に証人尋問の機会を与えなければならないことである。従って証人尋問終了後被告人の予想しなかった供述内容をもつ調書を提出しても、その調書に本号後段による証拠能力を認めることはできない。証人尋問の途中又は尋問終了後退廷前に前の供述内容を明らかにして被告人にその供述についての反対尋問の機会を与えておかねばならない。」とするのである（小野等・コンメンタール六九九頁）。

これに対して消極説は、「法三二一条が例外規定として憲法三七条二項に違反しないものとすれば、この場合には被告人の審問権の行使を不必要としたものと解すべきものであって、後に公判廷においてこれを行使せしめなければならぬというべきものではない。ところが実務の上ではこの憲法上の要請を尊重して、証人が前の供述と異る証言をした場合には、尋問の途中又はその終了後に、その供述内容又はその要旨を告げることにより、前の供述について被告人に反対尋問の機会を与えるという方法がとられることがあり、又時には証人の在廷中に前の供述を記載した書面を被告人に閲覧せしめることにより反対尋問の機会を与えるという方法がとられることもある。このような方法は違憲論のいう違憲の疑を避けようとする意図に出たものかも知れないが、公判廷で反対尋問の機会を与えなければ、前の供述を記載した書面に証拠能力を認めることができないとする見解に出でたとするならば、疑問といわねばならない。」とするのである（本田等「伝聞法則の例外」実務講座一九一二頁）。

私は積極説に従うべきであると思う。検察官調書が憲法三七条二項に基く伝聞法則の例外として証拠能力を認められるのは、それを証拠とする必要性と信用性の情況的保障がある場合に例外的に証拠とすることを許容したものであるが、被告人の反対尋問確保の見地からいうと、その作成の際（原供述者が供述する際）被告人に反対尋問の機会を与えなかった検察官調書記載の供述が証拠能力を取得する理由は、公判において、右検察官の面前供述（前の供述）に対して被告人に反対尋問権を行使させるためであり、被告人は反対尋問の機会にその証人の「前の供述」の信用性についてもテストすることができるのである。反対尋問は書面になった供述についてするよりも、供述の際その供述に対して行うことの方がより効果的であるけれども、必ずしも供述の際にこれをさせることを要しないというのが最高裁判所の一貫した見解である（前記【22】【23】【24】等判決参照）。しかしその代り、その法廷外の供述に対しては公判廷において被告人に反対尋問権を行使する機会を与えなければならないのであり、それによって始めて憲法の要請を満足させ得るということも刑訴応急措置法当時からの判例解釈である（前記【1】【8】【30】等判例参照）。もし検察官調書記載の供述に対して反対尋問の機会を与えることを要しないとする見解に従うときは、応急措置法一二条の線より更に被告人の証人審問権行使の要件を緩和することとなり、憲法の要請を充たし得るか疑問がないとはいえない。

なる程消極説をとるにしても、検察官調書の特信性の事情は裁判官の自由心証に委される証拠価値の問題ではなく証拠能力の要件であるから、検察官は自己の申請した証人が予期に反して供述する場合には、積極的にあらゆる観点から尋問することにより真実を語ろうとしない事情をばくろし、それによって「前の供述」の特信性を疎明すべきであり（岸「弁論主義の強化について」判例タイムス六〇号四頁）、このような厳格な運用をするときは、「前の供述」は自ら法廷に顕出されることとなるから、被告人はこれに対して充分反対尋問権を行使することも可能となるであろう。

しかし消極説の論旨のうちには、検察官調書の特信性を証拠能力の要件と解せず、また実務上も特信性の情況は極めて形式的に認められ又は殆ど考慮されていない現状を認めながら（本田等・前掲一九一九頁）、検察官の面前供述に対して被告人に反対尋問をさせる必要がないと解する見解もあるから、もしこの見解に従うときは、検察官調書は被告人がその内容を知らないままで証拠能力を付与されることとなり、被告人の全く予期しなかった検察官調書が取り調べられることとなる虞がある。

消極説に対する批評として、「今日の手続においては供述による心証と書面による心証とが個々バラバラに形成せられ、両者が相互に直接的にテストし合う有機的関係に多少欠けるところがありはしないだろうか。かくて或るものは宣誓による生の供述を過信し、他のものは事件直後に一応理路整然と作成せられた書面を偏重するという両傾向によって刑事裁判がゆがめられることがなければ幸である。旧刑訴のように裁判官が検察官の一方的書面を見た上で法廷に臨むことに復帰すべきでないことはいうまでもないが、苟くも書面を証拠に採用することを許す限り、書面と供述との相互の関係について格段の用意があって然るべきものと思う。」という前提に立ち、この点で消極説が、証人が前の供述と異る供述をした場合に前の供述に対して反対尋問の機会を与えようとする実務上の措置に反対しようとすることには問題があるとする見解（伊達・書斎の窓四八号五頁）があるが、私はこれを支持したいと思う（高田・刑訴法二四一頁も消極説の理由は明白でないとしている）。

右のとおり、検察官調書記載の供述に対しても被告人に反対尋問権を行使させるべきであると解するけれども、そのことから当然に検察官調書をその原供述者を証人尋問する公判期日に提出させて取り調べねばならぬということにはならない。検察官調書を事前に閲覧(法二九九)することにより、また証人尋問の過程において右調書の記載内容が法廷に顕出されることにより、これに対し被告人が反対尋問権を行使し得る状態が現出されればよいと解する。

右の点に関する判例は、次のとおりである。

【72】「所論各証人に対する検察官の面前調書の証拠調がこれら各証人を尋問した公判期日の後の公判期日で行われたからといつて憲法三七条二項の保障する被告人らの反対尋問権を奪つたことにならないことは既に当裁判所大法廷の判例の趣旨とするところである(昭二五・三・六判例―前記【22】判例・筆者注)。しかも、本件における主要な争点たる金銭供与の趣旨、検察官に対する供述の任意性の有無については、既に先の証人尋問に際し、反対尋問権の行使の機会が与えられているに止まらず、記録に徴すると充分に反対尋問が行われているのである。また証拠調に当つては当事者に異議があつたといつてその意見を聴いた上で決定をし、適法に証拠調をした以上、証拠調手続が違法となるの理はなく、更に第一審裁判所がこれら証人の再尋問の請求を却下したからといつて先に適法になされた証拠調が遡つて不適法になる理由もない(昭二七(あ)六七〇号・同二九・五・一一判決参照)。刑訴三二一条一項二号は、伝聞証拠排斥に関する同三二〇条の例外規定の一つであつて、このような供述調書を証拠とする必要性とその証拠について反対尋問を経ないでも充分の信用性ある情況の存在をその理由とするものである。そして証人が検察官の面前調書と異つた供述をしたことによりその必要性は充たされるし、また必ずしも外部的な特別の事情でなくても、その供述内容自体によつて、それが信用性ある情況の存在を推知せしめる事由となると解すべきである。」(最判昭三〇・一・一一集九・一・一四(新))。

この判決の要旨として掲げられているところは、「刑訴三二一条一項二号後段の調書の証拠調をその証人尋問期日の後の期日に行ったところで憲法三七条二項に違反しない。」となっているが、その理由は次の三点からなっている。すなわち、(一)反対尋問は証拠となるべき供述のなされたときに行使の機会を与えなくても憲法に違反しないこと、(二)本件では充分な反対尋問が行われていること、(三)検察官調書の証拠調が行われた以上その調書記載の供述をした者の証人尋問の請求を却下しても前の証拠調が不適法となることはないことである。

(一)の点は、最高裁判所の判例の一貫した見解であることは前述のとおりである。(二)の点は、本件において反対尋問の行われたことを理由としているが、前記第一説に従うときは、検察官調書記載の供述に対して被告人に反対尋問をさせることが必要であるから、本件の場合も被告人が検察官調書の内容を知って充分に反対尋問権を行使したのであれば問題はない。そして被告人が右検察官調書の内容を知るに至った経過については明らかでないが、検察官が「前の供述」の特信性について充分な疎明をしたために被告人が前の供述(検察官調書の記載内容)を知り、これに対して反対尋問をしたことも考えられるし、また刑訴二九九条による検察官調書を事前に閲覧したことによることも考えられるが、そのいずれの場合であっても差支えない。

(三)の点の検察官調書の証拠調が適法に行われたという意味が問題であるが、法三二一条一項二号本文後段および但書の各要件を完全に充たす証拠調が行われたのであれば、その証拠調の過程において検察官調書記載の内容についても反対尋問の機会を与えられたのであろうから、その場合には被告人からの証人再尋問の請求を却下しても違法でないことは当然である。しかしもし反対に右証拠調の過程において、被告人に「前の供述」が明らかにされていないままただ形式的に適法な証拠調が行われたという意味であるならば、被告人に反対尋問権を行使させたといえないことはもちろんである（横井・研修八五号二八頁参照）。

被告人が公判廷において証人に対して充分反対尋問を行い得るためには、あらかじめ刑訴二九九条により検察官調書を閲覧していた場合は格別、そうでなければ公法廷において証人尋問の行われる際に検察官調書記載の供述が顕出されなければならない。もし被告人が反対尋問権を充分に行使することができなかった場合に、被告人の予想できなかった内容の検察官調書が提出されたときは、右の点に関して被告人に反対尋問の機会を与えるため、証人の再尋問をしなければ、検察官調書に証拠能力を認めることはできないと解すべきである（同旨・青柳・昭三〇・解説六頁、荒川・評釈・警研二八・一・九六頁）。

【73】「原審は第三回公判期日に証人Aを尋問し、同第四回公判期日に検察官は証拠書類としてAに対する検察官作成の供述調書の取調を請求したのに対し弁護人は其の証拠調の請求に異議があると述べ、次いで検察官は右供述調書を刑訴三二一条一項二号後段の書証として取調を請求すると述べ、裁判官は右供述調書について証拠調をする旨を宣し、同第五回公判期日に右の証拠調をした旨の記載があることは明らかである。しかして、刑訴法三二一条一項二号後段の規定により証拠とすることが出来る書面については検察官は必ずその取調を請求しなければならないことは同法三〇〇条の明定しているところであるが、其の取調請求は証人尋問の期日内でなければならないというが如き規定は存しないのであつて、斯る要件を具備している書面については検察官に自由裁量の余地を与えず取調の請求をなすべき義務を負わしめたに過ぎない。しかるに本件においては前記のとおり検察官は原審第四回公判期日に弁護人の同意を条件として其の取調を請求したところ弁護人は其の証拠調の請求に異議があると述べたので刑訴法三二一条一項二号後段の書類として其の取調を請求したので

あるから、この点の訴訟手続に関して何等の違法も存しない。」（仙台高判昭二七・八・八集五・一二・二〇三九（新））。

この高裁判決も、刑訴三二一条一項二号後段の要件を具備する検察官調書は刑訴三〇〇条により取調の請求をする義務があるけれども、その取調の請求の時期は証人尋問の行われた公判期日の後であってもよいことを明らかにしている。ただしかし、裁判所が本件の検察官調書が刑訴三二一条一項二号後段の要件を具備すると判断する前提として、特信性の調査について前に述べたような厳格な運用をしたのであるか否かが問題である。検察官において、検察官調書の記載内容を被告人が知り得る状態を現出し、それについて被告人の充分な反対尋問権を行使させた結果、裁判所がその要件を具備する検察官調書と判断したのであれば問題はないが、もしそうでなければ、被告人の予想しない記載内容の検察官調書が取り調べられることとなり、被告人にとって極めて不都合である。

〔74〕「弁護人は更に、右各調書を証拠として採用するに際し前記各調書について反対尋問の機会を与えられなかつたから違法であると主張するが、そもそも刑訴三二一条一項二号の規定は同条項所定の要件に該当する限り必ずしも反対尋問の機会を与えなくても検察官調書を証拠として採用し得る旨を定めたものである。この理は供述者が死亡、精神若しくは身体の故障、所在不明若しくは国外にいるため公判期日において供述することができないときを考えてみれば明瞭である。尤も、本件においては検察官が前示証人A外四名の喚問を申請しこれらの証人が法廷において取り調べられたけれども何れもあいまいな供述であつたため、検察官は同証人らが公判期日において前の供述と相反し又は実質的に異つた供述をしたものとして前示検察官調書の取調を請求し、弁護人は右調書は、同証人らにつき反対尋問の機会が与えられておらないからとの理由でその調書に反対し、更に、反対尋問の機会を得るため必要なりとして右各証人の再喚問を請求したが、原審はこれを却下し前示検察官調書を証拠として採用したものであることを本件記録によつて窺知し得る。かような場合弁護人

において右各証人につき本件犯罪事実の存否について尋問しようと思えば前示証人が裁判所に喚問されたとき検察官の尋問に対応して納得のいくまで尋問できたはずである。同証人らは、充分弁護人の反対尋問の場に立たされたはずである。弁護人は、更に、同証人らを再喚問して弁護人の尋問にさらした上でなければ判示検察官調書を証拠として採用し得ないと主張する。勿論同証人らを再喚問し弁護人の尋問にさらすことは弁護人の側に立てば十全の措置ではあろうけれども、一面訴訟が迅速に行われることも刑事訴訟の一要請であつて（刑訴一条）刑訴三二一条一項二号本文後段の規定は、前示証人らを再尋問した上でなければ前示検察官調書を証拠として採用し得ないと解すべきではない。」（広島高判昭二九・一一・一三判例時報四一・二一（新））。

この判決は、刑訴三二一条一項二号後段の検察官調書（記載の供述）を証拠とするには、その供述について反対尋問の機会を与えることを要しないと明言しているが、特信性の調査について前に述べたような厳格な運用を前提としているのか明らかでない。もし前述したような実務のルーズな運用を前提とする安易な形式的な判断であるならば、これを是認することができない。従って、問題を内容的にいえば、証人尋問の行われる公判期日において検察官調書記載の供述に対して被告人に反対尋問権を行使さすべきであるとする前記積極説が無難ということになる。

また判旨は、証人の供述中に尋問できたはずであるというけれども、その理由も必ずしも明らかでない。刑訴二九九条により検察官調書を事前に閲覧していたからというのか、その証人の公判廷における証言によって、その証人の検察官の面前における供述の内容が判明したからというのか明らかでない。検察官調書が公判廷において取り調べられてはじめて被告人はその内容を知る場合もあり得るから、このような場合には、被告人が反対尋問できたでないかとはいえないわけである。

要するに、本件の場合に特信性の調査について前に述べたような厳格な運用をしていれば問題はないが、そうでなければ、検察官調書の内容について被告人および弁護人が反対尋問をすることができなかった場合には、被告人の予想しなかった検察官調書の証拠能力を認めてこれを取り調べることは疑問といわねばならない（横井・研修八〇号三七頁は、反対尋問を行使させることの必要を力説する）。

またこの判例は、その記載内容に対して被告人が反対尋問権を行使する機会を与えられなかった検察官調書が取り調べられた場合には、証人を再尋問して反対尋問にさらすことが十全の措置ではあるが、刑事訴訟の要請である訴訟の迅速の見地から証人の再尋問は必要でないとしているが、これが前述したようなルーズな実務の運用を前提とするのであるならば、迅速な訴訟の要請にかかわらず証人を再尋問しなければ、被告人の証人審問権を充分に行使させたものといえないと思う。

(4)　法三二一条一項三号の書面

刑訴法三二一条一項一、二号については違憲説も可成り有力であるが、同条項三号の規定に関する限り違憲論の存しないことについては、既述のとおりである。被告人の証人審問権の観点から本条項に関する判例をあげると、次のとおりである。

【75】　「所在不明者であるA作成の答申書を証拠に採用したことが憲法三七条二項に違反しないことは、証人の供述は被告人に審問の機会を与えなければ常に証拠に供し得ないものではなく、例外のある趣旨であるとする当裁判所大法廷判例（昭二三・七・一九判決集二・八・九五二―前記【1】判決・筆者注、昭二四・五・一八集三・六・七八八―前記【8】判例・筆者注）の趣旨に徴し明らかである。また所論のAが所在不明であったことは、記録に存する検事の捜査指揮書及び警察署長の捜査報告書に徴し明ら

かであって、このような場合刑訴三二一条一項三号により証拠となし得ることは、当裁判所の判例（昭二七・四・九集六・四・五八四—前記【65】判例・筆者注、昭二八・四・一六集七・四・八六五—前記【66】判例・筆者注）の同条同項二号に掲げる、供述者が供述することができないときの事由は、これと同様またはそれ以上の事由の存する場合をも含むとする趣意に徴し明らかである。」（最判昭三二・一・二九集一一・一・三三七（新））。

この判決は、刑訴法三二一条一項三号により被告人以外の者が作成した供述書を証拠とすることの合憲性を判示した判例である。刑訴法三二一条一項一、二号の合憲性については学説上争があるが、判例はこれを合憲と解しており、同条一項三号についてもこれを合憲と解するのである。そして判例は、その合憲性の理由として、応急措置法一二条の合憲性——憲法三七条二項前段の定める直接審理主義の原則は絶対に例外を許さない趣旨ではないと解すべきであるから——を肯定した前記【1】および【8】判例を引用して論旨を排斥したのである。憲法三七条二項前段も合理的な例外を許さないものではないから、刑訴法三二一条一項三号が必要性および信用性の情況的保障の両面から厳格な制限を設けて、被告人の証人審問権の確保と実体的真実発見の要請とを調和していることを勘案すれば、この判決は正当というべきであろう（同旨・栗田・判例解説・法曹時報九・三・一二六）。なお証人が記憶喪失を理由として証言を拒む場合に、その麻薬取調官に対する供述調書について刑訴法三二一条一項三号の合憲性を間接に肯定した判例がある（最判昭二九・七・二九集八・七・一二一七参照）。

この点に関する高等裁判所の判例として、次の判例がある。

【76】「刑訴三二一条一項三号にいわゆる所在不明とは該供述調書の証拠調をなす段階において当然供述人

の所在が判明しないすべての場合を謂い、その判明しない理由の如何を問わないのであつて、本件の場合にある如く供述者が当該供述調書作成の当時虚偽の住所氏名を告げたためその者の所在の判明しない場合をも包含するものと解すべきを相当とするところ、同条が憲法三七条二項に違反するや否やを案ずるに、憲法三七条二項たるや刑事被告人の証人に対する審問権を確保するものなるところ、刑訴法三二一条一項三号の規定たるや同条所定の如き事由により直接に証人の供述を得られない場合における補充的のものであつて、憲法三七条二項にいわゆる証人に対する被告人の審問権を認めることを前提とし、而も尚これを行使することができないことを考慮したるに出でたる規定であるから、いささかも右憲法の条規に違反するものとは言い難い。」（東京高判昭三一・一二・一九東京高時報七・一二・四八三(新)）。

この判決は刑訴三二一条一項三号が例外的補充的な場合に必要性の要求から証拠能力を認められるに過ぎず、被告人の証人審問権を認めることを前提とし、しかもこれを行使することができないことを考慮した規定であるから違憲でないと説明している。

（二）　共同被告人の供述調書

共同被告人の供述調書が刑訴法三二一条一項の「被告人以外の者」の供述録取書に当るか否かについては学説が分れている。まず、共同被告人の供述調書については、刑訴法三二一条一項と三二二条とが競合して適用されるとする説（団藤・五訂版一九三頁）があり、また共同被告人を共犯関係にある共同被告人と共犯関係にないものとに分け、共犯関係にある共同被告人は刑訴法三二一条一項の「被告人以外の者」に含まれず（従ってその供述調書には同条の適用がない）、法三二二条の「被告人」に含まれるから、同条の要件を充す限り証拠能力が認められるが、共犯関係にない共同被告人については同法三二一条一項の適用があるとする説

（横川・実際一一二頁、荒川（正）・「共同被告人の供述書の証拠能力」判例タイムス一一・六・一四頁）がある。

しかし判例は、共同被告人は共犯関係の有無にかかわらず、法三二一条一項の「被告人以外の者」に含まれると解している（最判昭二七・一二・一一集六・一一・一二九七、昭二八・六・一九集七・六・一三四二、昭二八・七・七集七・七・一四四一）。その理由とするところは、共同被告人であっても、他の被告人からみれば、第三者であるから、その供述に対して被告人の充分な審問権を行使させねばならないというのである。

判例の右の見解に従い、共同被告人の供述調書を被告人に対する証拠とするための前提として、弁論を分離して共同被告人を証人として尋問しなければならないかが問題となる。この点に関する学説として、被告人の反対尋問権は供述者が反対尋問に応ずべき法律上の義務のあることを前提とするから、共同被告人に対して質問の機会があっただけでは反対尋問権を行使させたことにならない、従って必ず弁論を分離して証人として尋問しなければならないとする説があり（江家・基礎理論一三八頁）、また少くとも共同被告人が黙秘している場合には証人として尋問の機会を与えなければならないとする説がある（田中・証拠法二四七頁）。しかし多数説は、刑訴三一一条三項によって被告人は共同被告人に対し、公判廷において充分審問できるから反対尋問権が確保されるとするのである（栗本・改訂一三二頁、平野・刑訴法六五頁、青柳・通論上二八九頁）。

この点に関する最高裁判所の判例としては、判例集に登載されていない判例（昭二六・一一・　・三〇カード）が、共同被告人の供述を証拠とするには必ずしも弁論を分離して証人として尋問する必要はないとしている。

高等裁判所の判例としては、次のものがある。

【77】「ところで共同被告人の検察官に対する供述調書について、被告人のこれを証拠とすることの同意が

得られない場合、その証拠能力の有無を判定するに当つては、必ずしも事件を分離し、共同被告人を証人として公判廷でその供述を求め、改めて被告人の反対尋問にさらさなくとも、もともと共同被告人は同一の公判廷で共同で審理をうけ、刑訴三一一条三項により相互に反対尋問をなし得る機会が与えられておつて、被告人の共同被告人に対する反対尋問権は事実上確保されており、しかも共同被告人の公判廷における供述の内容は既に訴訟の経過によつて明白であるから、それが刑訴三二一条二項後段の要件を具備するものと認められる限り直ちにこれに証拠能力を認めて証拠とすることができるものと解するのが相当である。してみれば原審が共同被告人の検察官に対する供述調書を証拠とするにあたり所論のように厳格な意味における被告人の共同被告人に対する反対尋問権を行使させないで証拠に供したことは……正当である。」(福岡高判昭二五・九・一七集四・一〇・一二三五(新))。

この判例は、共同被告人が被告人の質問に答えた事案に関するもののようであるから、被告人の共同被告人に対する反対尋問権は事実上確保されたのであるが、共同被告人が被告人の質問に対して全然黙秘する場合には、弁論を分離の上証人として尋問しなければならないものと考える。

（三）　書面の意義が証拠となる証拠物

伝聞法則は「証拠書類」にのみ適用があるとして、書面が証拠物であることを理由として伝聞法則の適用がないとする見解がある(江家・基礎理論六九頁)。これは、証拠書類と証拠物の区別を反対尋問権の問題と関連させて説明する立場である(岸・判例タイムス六一号四頁)。しかし証拠書類と伝聞法則の適用のある書面とは結果において一致するけれども、理論的に一致すべきものであるか疑問がないではないから(江家・判例タイムス六一号五頁)、反対説があるのももっともである(栗本「伝聞法則の例外」実務講座Ⅷ一八七頁、小野等・コンメンタール六八八頁)。

証拠書類と証拠物の意義が証拠となる証拠物との区別については諸説があるが(鈴木「証拠物と証拠書類」本叢書・刑訴(3)一一三頁参照)、

その区別は証拠調の方式との関係で意味があるので、伝聞法則の適用を受けるか否かには直接の関係がないとする見解が正当であると考える。すなわち、証拠書類と証拠物の区別に関しては、旧法当時の大審院判例は、当該訴訟に関し作成せられ証拠の用に供せられる書面が証拠書類で、それ以外の書面は証拠物であるとしていたが、最高裁判所の判例は、右の見解を改め、「証拠書類と証拠物たる書面の区別は、その書類の内容のみが証拠となるか、または書面そのものの存在または状態が証拠となるかによるのであって、その書面の作成された人、場所、手続等によるのではない。(例えば誣告罪において虚偽の事実を記載した申告状のごとき、その書面の存在そのものが証拠となると同時に如何なる事項が記載されているかが証拠となるのであって、かかる書面が三〇七条の書面であり、ただ書面の内容を証明する目的を有する書面が証拠書類である。)」(最判昭二七・五・六集六・五・七三六)としたのであって、これによると、その記載内容だけが証拠となる書面が証拠書類で、その存在または状態と記載内容の双方が証拠となるものは書面の意義が証拠となる証拠物となる。しかし、この区別も刑訴三〇五条および三〇七条のいずれの証拠調の方式によるかの区別であるにすぎない。

ところが、書面の意義が証拠となる証拠物に伝聞法則の適用があるかの問題に直接触れた判例として、次の判決がある。

【78】「記録によると、第一審では本件メモを他のAの手紙とともに証拠物として取り扱い、これが証拠調の方法は、このメモを「展示」しその内容を「朗読」しているのであるから、これらの手続からみれば右メモを「書面の意義が証拠となる証拠物」として取り扱っていることが明らかである。そして、証拠物であつても

書面の意義が証拠となる場合は、書証に準じて証拠能力があるかどうかを判断すべきものであることはいうまでもない。原審は、右メモを刑訴三二三条三号の書面に当るものとして証拠能力を認めたのであるが、同号の書面は、前二号の書面すなわち戸籍謄本、商業帳簿等に準ずる書面を意味するのであるから、これらの書面と同程度にその作成並びに内容の正確性について信頼できる書面をさすものであることは疑ない。しかるに、本件メモはその形体からみても単に心覚えのため書き留めた手帳であるから、右の趣旨によるも刑訴三二三条三号の書面と認めることはできない。してみれば、本件メモに証拠能力があるか否かは、刑訴三二一条一項三号に定める要件を満すかによつて決まるものといわなければならない。ところで、本件においては記録により明らかなとおり、Aは逃亡して所在不明であつて公判期日において供述することができない関係にあるものと認められるのであるから、もし本件メモがAの作成したもので、それが特に信用すべき情況の下にされたものであるということができれば、右メモは刑訴三二一条一項三号により証拠能力があることとなる。……そして、本件メモが前記のような結果によつて発見され、Aの意思に従つて作成されたものと認め得ること及びその形体、記載の態様に徴すれば、本件メモはAの備忘のため取引の都度記入されたもので、特に信用すべき情況の下に作成されたものと認めるのを相当とする。」(最判昭三一・三・二七集一〇・三・三八七(新))。

この判例で問題となったのは、被告人が密造たばこを買い受けたというたばこ専売法違反被告事件において、売主が被告人に売り渡したたばこの数量を記載していた手帳である。そしてこの判決は、二つの点を判示している。すなわち、(一)証拠物であっても書面の意義が証拠となる場合には、伝聞法則の適用があること、(二)本件第三者のメモ(手帳)は、その形体からみても単に心覚えのため書き留めた手帳であるから、刑訴法三二三条三号の書面には該当しないが、同法三二一条一項三号に定める要件を充しているから、同条項によって証拠能力があることを明らかにしている。

まず（一）の点についていうと、伝聞法則の適用を受けるか否かは、その証拠が公判期日における（口頭の）供述に代えて証拠としようとする人の供述を記載した書面であるか否かによって決まるのであって、その書面が証拠書類であるか証拠物であるかには関係がない。証拠書類と証拠物の区別は、証拠調の方法の差異に過ぎず、また伝聞法則とは、被告人の証人審問権を充分に行使させる見地から公判期日外の供述の使用を一定の場合に制限しようとするものだからである（同旨・田中「被告人及び証人以外の者が心覚えのため取引を書き留めた手帳の証拠能力」判例評論六号二四頁）。

次に（二）の点は、本件メモが心覚えのために取引の内容を書き留めたに過ぎないものであっても、刑訴三二三条二号の「その他業務の通常の過程において作成された書面」と見られる程度に連続的な記載がされている場合ならば格別、そうでないとするならば刑訴三二三条三号の書面とも認められない。三二三条三号の書面は同条二号の書面と同程度に書面自体に高度の信用性のある場合でなければならないからである。しかし本件メモは、このような信用性のあるものでないから、その証拠能力は、被告人以外の者の作成した書面として刑訴三二一条一項三号の要件を具備するか否かによって決せられることとなるのである（同旨・横井・研修九二号二五頁）。

次に被告人作成のメモ（備忘録）について、次の判例がある。

【79】　被告人は……新聞社へ納入すべき新聞広告料を業務上保管中……生活費等に費消するため着服横領したとの事実……認定の証拠として……備忘録ノートブックがあり……右備忘録ノートブックが……同表(1)乃至(7)欄に相当する事実について被告人の自白を補強し得ないとすれば被告人の自白のみによつて有罪を認定した

こととなり……右備忘録ノートブックはその書面の意義が証拠となる証拠物と考えられ、旧刑訴法の時代においては斯様な書類は供述書として取扱われなかつたのであるが、新刑訴法においては右と反対の見解が採用せられねばならぬものと考えられる。蓋しかかる書類（被告人作成たると第三者作成たるとを問わず）が単に証拠物として無制限に証拠となるものとすれば同法の伝聞証拠排斥の原則はこの分野から崩壊する虞があるのであり、現に同法三二三条の規定においてもこの種のものが供述書たることを前提とする趣旨が窺い得られるのであるから、前示証第一号の備忘録ノートブックは被告人の作成した供述書と解すべきであり、従つて前に述べたように別表(1)乃至(7)は結局被告人の自白のみによつて有罪と認定した違法があることに帰着し且つその違法は判決に影響を及ぼすことが明かである。」（名古屋高判昭二六・四・九・特二七・七七（新））。

この判決は、被告人が広告代金を費消横領したという業務上横領事件において、費消した金額を記載していた被告人作成のメモ（備忘録）を書面の意義が証拠となる証拠物ではなく、被告人作成の供述書であるから、被告人の自白の補強証拠とならぬとしている。

すなわち、この判決は、本件備忘録が被告人作成の供述書であるから伝聞法則の適用を受けるとしているのであり、これを反面からいうと、証拠物には伝聞法則の適用がないことを前提とする見解に立っているのである。このような見解は、前述のとおり正当ではないと考えられるが、本判決が本件メモ（その形状・記載内容等が判文自体からは明らかでないけれども）をたやすく刑訴三二三条の書面として証拠能力があるとしなかった結論においては正当であると思われる（後記【81】【82】判決参照）。

（四）　刑訴三二三条の書面

刑訴三二三条は、伝聞法則の例外として書面自体に信憑力の認められるものに証拠能力を附与しているが、同条三号は「特に信用すべき情況の下に作成された書面」というように極めて包括的な規定をしているために、その例外の基準については、必ずしも理論的に明確にされていない。

学説としては、まず、本条は書面の意義が証拠となる証拠物について証拠能力を規定したものであるとする説（小野「新刑法における証拠の理論」刑雑五・三・三四二頁）があるが、証拠書類と証拠物の区別については諸説があり必ずしも明白でないから、本条をこの区別によって説明することは適切でない。次に、本条は訴訟を意識することなく作成された書面の証拠能力を規定したとの説（本田等「伝聞法則の例外」実務講座Ⅷ一九四七頁）があるが、訴訟を意識することなく作成された書面のすべてがこれに含まれるのではない。

本条は、前述した刑訴三二一条所定の書面と相並んで信用性の情況的保障の極めて高い被告人および被告人以外の者の公判廷外の供述に証拠能力を認めた規定であると解せられる。

この点に関する判例として、次のものがある。

【80】「原審が原判示事実認定の証拠に採用している所論答申書が公判期日における供述に代えて提出された被告人以外の者の作成にかかる供述書であつて、刑訴法三二〇条所定の所謂伝聞証拠に属するものであることは洵に明らかである。而して同法三二一条の規定するところによれば、被告人以外の者の作成した供述書で供述者の署名若しくは押印あるものについては、所謂伝聞証拠排斥原則の例外として、供述者が死亡、精神若しくは身体の故障、所在不明又は国外にいるため公判準備又は公判期日において供述することができず且つその供述が犯罪事実の存否の証明に欠くことができないものである場合の外は、それが同法三二六条に所謂検察官又は被告人において証拠とすることに同意した書面である場合は別として原則としてこれを証拠とすることのできない旨の定めをしている。尤も同法三二三条三号には右条件に副わないため元来証拠能力のない供述書

と雖も特に信用すべき情況の下に作成された書面であればこれに証拠とすることができる趣旨の規定が為されている。然し乍ら、茲に所謂「特に信用すべき情況の下に」とは元来は伝聞証拠であり乍らその証拠能力の認められている同法第一号及び第二号に所謂戸籍謄本、公正証書謄本その他公務員（外国の公務員を含む）がその職務上証明することができる事実についてその公務員の作成した書面又は商業帳簿、航海日誌その他業務の通常過程において作成された書面に準じて、その証拠価値（すなわち書面の内容たる事実の主張に対する信憑力）を合理的に保証するに足る特別の事情の存する場合を指称し、斯かる事情なき限り斯かる書面を証拠とすることを得ないものと解する。蓋し、若し、斯く解しないときは、伝聞証拠なるものは兎角事の真相を誤まり伝え易いものであるとの人類の長年に亘る実証的経験から、反対尋問による充分な吟味の機会を与えられない供述は、これを証拠とすることのできないという所謂伝聞証拠排斥の原則を定めた刑訴三二〇条及び特にこれが例外として被告人以外の者が作成した供述書又はその者の供述を録取した書面で供述者の署名若しくは押印のあるものにつき一定の厳格な条件を附してその証拠能力を認めた同法三二一条の規定の趣旨を没却し、これら一連の規定は殆んど空文に帰するに等しいものとなるからである。今これを所論答申書について見るのに、被告人及び原審弁護人は原審においてこれを証拠とすることにつき同意した事実は必ずしも明白でなく、さればこそ原審は、特にこれを刑訴三二三条三号の書面として証拠調しているわけであるが、……既にその成立についてすら争のないことのない所論答申書中に『この表は当社の売掛帳に依つて記入したものである』との供述記載があるからといつて、直ちに刑訴三二三条三号に所謂特に信用すべき情況の下に作成されたものとは謂い難い。すなわち、原審は、須くその供述者と目されるAの該答申書の成立、右売掛帳の存否乃至はその売掛帳を提出することのできない事情等についての被告人の側の充分な反対尋問の機会をえられた証言を得て該答申書を特に信用すべき情況の下に作成された書面として認めることの可否を決すべかりしを相当とする。これを要するに、原審は以上説示するところに照らし、究極において刑訴三二〇条の規定に違背し元来証拠能力なき書面（所謂答申書）を原則判示事実認定が証拠とした違法あるに帰し、……破棄を免れない。」（東京高判昭二七・七・八集五・一〇・

一五六一（新））。

本判決は、刑訴三二三条の書面が三二〇条の例外として証拠能力を認められる根拠について詳細に述べており、これによると、本条は、一号または二号に掲げる書面またはこれに類する程度の信用性の情況的保障のある書面は、前二条および三二〇条の規定にかかわらず証拠とすることができる趣旨であるとしており、この限りにおいては正当であるけれども、会社の売掛帳に基いて作られた本件答申書が、その成立、売掛帳の存在等について反対尋問の機会を与えなければ、刑訴三二三条三号に該当するといえないとしている点は疑問である。刑訴三二三条三号の書面であるか否かは、被告人に反対尋問権を行使させたか否かによって決せられるのではなく、同条一号、二号に準ずる信用性の情況的保障があるために被告人に反対尋問権を行使させる必要がない書面と解すべきだからである。この判決が問題としているのは、むしろ刑訴三二一条三項四項の場合であるように思われる。

本条一号の書面に関する判例としては、別に注目すべきものはないが、本条二号の書面として問題となるのは、本条号が被告人の自白に関する刑訴三二二条を排斥するかの点である。その信用性の情況的保障が高い点に重点があるから、伝聞法則の不適用の場合である被告人作成の商業帳簿等についても本条が優先的に適用されるべきである（小野等・コンメンタール七二〇頁、青柳・通論三一四頁）。

この点に関して、次の高裁判例がある。

【81】「原判示事実中所論の昭和二四年一二月二五日Aに金一〇万円から月一割を天引して貸付けた事実は、原判決の挙示する被告人の自供調書と原審押収の前記手帳一冊中の記載により之を認め得るのであつて、記録

を精査しても原判決の右事実認定に誤があることは認められない。右手帳は、被告人が本件犯罪の嫌疑をうける前に之と関係なく、本件その他貸金関係を備忘の為、その都度記載したものである。かかる記載は所謂自白に該らないものと解するのが相当であり、その真実性と信用性は極めて高度であつて刑訴三二三条三号によつて証拠とすることができるものと謂うべく、しかも独立の証拠価値あるものと認められるので、原判決が前記自白のほか、その補強証拠として右手帳を挙示したことは極めて相当である。」(仙台高判昭二七・四・五 集五・四・五四九(新))。

この判決は、貸金業法違反の被告人が貸金の事実を記載していた被告人作成の手帳に関するものである。そして本判決は、この手帳が被告人が本件犯罪の嫌疑を受ける前に、備忘のため貸金関係をその都度記載したものであるから、その信用性の高いことを理由として、刑訴三二三条三号の書面にあたるとしたのである。しかし、本件手帳が、その形状、記載内容等から、商業帳簿に類する業務の通常の過程において作成された書面と認められ得るものであるならば、むしろ本条二号の書面と認むべきではなかろうか(同旨・青柳・通論(上)三一六頁、本田等・前掲一九五三頁は判旨に賛成)。

【82】 「押収にかかるAの手帳について考察すると右手帳は、被告人Aが本件ドル表示軍票の取引に関し自ら記入したものであり、且つ同被告人が前示のように現行犯として逮捕された際そのオーバーのポケットに入れていたものであることは同被告人の当審公判廷における供述に徴して明白である。しかしてその内容は本判決末尾に添付した写のとおりであつて、昭和二四年一一月二〇日から同月二二日に亘りドル表示軍票の不正取引に関するメモと認められるものである。……同被告人の弁疏するように単にドル取引に関する予定のみを記載したものとは到底認められない。

以上説示したように右手帳の記載は、その内容記入方法並びに同被告人がこれを所持していた状態その他諸般の情況に徴し本件のような取引においては、特に信用すべき情況の下に作成された書面として証拠能力を有するものと認むべく、且つその内容は相当強度の信憑力を有するものと認めるのが相当である。」（東京高判昭二七・一〇・一〇特三七・四九（新））。

この判決は、被告人がドル表示軍票取引の犯行内容をその都度心覚えとして書き留めたメモ（手帳）を刑訴三二三条三号の書面として証拠能力を認めたのである。被告人作成のメモの形状、記載内容等から信用性の情況的保障があるとするには、刑訴三二三条二号の書面に準ずることができる程度のものでなければならぬことは、前記【81】判決について述べたところと同様である。本件および【81】判決の各手帳がともに書面の意義が証拠となる証拠物であり、刑訴三二三条の書面として証拠能力を認められるのに反して、前記【79】判決の場合の被告人作成のメモが同じく書面の意義が証拠となる証拠物とされながら本条の書面と認められなかったのは、信用性の情況的保障の存否も本質的差異ではなく結局程度の差に過ぎないものというべきであろう。

【83】「被告人が業として医薬品なる覚醒剤を製造し、且これを販売した薬事法違反の各事実を自白している事案において、他の証拠によつて認定した被告人が覚醒剤を製造し現に手許に存在しないという事実は販売の事実を推認せしめる情況証拠として自白の補強証拠たり得るものと考える。しかも所論金銭出納簿は共犯者たる原審相被告人Aが本件事件発覚後これに関連して作成したものではなく、それ以前に事件に関係なくその都度逐一詳細に販売先数量等を記入したものであるから、相被告人の自白に準ずべきものではなく刑訴三二三条三号にあたる書面として独立の証拠価値あるものと解すべきである。」（大阪高判昭二七・五・二〇特二三・九八）。

本判決は、覚醒剤取締法違反事件の被告人の共犯者が覚醒剤を販売した数量、販売先等を詳細にその都度記入した金銭出納簿を刑訴三二三条三号の書面と認めたのであるが、本件出納簿の形態、記載内容等からみて、同条二号の業務の通常の過程において作成された書面と認められる程度の信用性の情況的保障がある場合に限って証拠能力が認められるものと思う。前記【79】判決は、このような信用性の情況的保障の存在が認められない場合の事例であった。

次に手紙の証拠能力について、次の判例がある。

【84】「右各信書は、原判決の説示するごとく刑訴三二三条三号の書面と解するを相当とするばかりでなく、第一審判決はA、Bの公判における証言により、Aが服役中同人妻Bから、またBからAに宛てた一連の手紙としてその内容を検討し十分信を措くに足りるものと認めたのであつて、右両名の第一、二審における証言並びに右手紙の外観、内容等を検討すれば、原判決が詳細に説示したように、その約四〇通の手紙の一部に所論のごとき代筆のもの、封筒と中味と喰いちがつたもの等があつても、服役者とその妻との間における一連の信書として特に信用すべき情況の下に作成された書面と認定した第一審の判断を正当として是認することができ経験則その他に違反した違法は認められない。」(最判昭二九・一二・二集八・一九二三)。

本判決で問題となったのは、殺人未遂教唆被告事件の補強証拠として、先に殺人未遂の単独犯として起訴され確定判決を受けた既決囚Aが刑務所から妻Bに宛てた手紙およびBがAに宛てて出した手紙合計約四〇通である。判旨は、この手紙を、その外観、内容から夫婦間に往復された一連の信書として、刑訴三二三条三号の「特に信用すべき情況の下に作成された」書面と認めるのである。

手紙をその記載事実が真実であることの立証として使用する場合の根拠については、学説が一致していない。刑訴三二一条一項三号の書面であるとする説(江家・基礎理論二一八頁、栗本・改訂一二一頁)、信用性の情況的保障のいかんによって刑訴三二三条三号または三二一条一項三号の書面であるとする説(田中・証拠法一八〇頁)、および刑訴三二三条三号の書面であるとする説（小野・概論八〇頁、団藤・五訂版一九三頁）がある。

しかし第三者の手紙は、その記載内容の真実であることを立証するために使用するためには、伝聞法則の適用を受けねばならない。第三者の法外廷の供述を無条件に証拠とすることは、被告人の反対尋問権を奪うことになるからである。本件の手紙の場合にも、外観、内容および夫婦間に往復された一連の手紙ということだけで、刑訴三二三条一号、二号に準ずべき高度の信用性の情況的保障のある書面であるか疑問であると思う（竜岡・判例解説・昭二九・三八五頁は、全体的考察において夫婦間の手紙としての一連性ありとして、判旨を肯定する）。

（五）伝聞供述

共同被告人の供述を内容とする被告人の検察官の面前における供述を録取した書面の証拠能力について、次の判例がある。

【85】「所論は被告人Aの検察官に対する供述調書中の被告人Bから同人外三名がX方に火焔瓶を投げつけて来たということを聞いたとの被告人Aの供述は伝聞の供述であるから刑訴三二一条一項二号により証言とすることはできず、又公判期日において反対尋問を経たものでないから、同三二四条によつても証拠とすることができない。然るにこれを証拠とすることは憲法三七条二項に違反するというに帰する。

しかし原審が弁護人の論旨第六点に対する判断において説示する理由によつて、刑訴三二一条一項二号及び同三二四条により右供述調書中の所論の部分についての証拠能力を認めたことは正当である。そしてこれが反対尋問を経ない被告人Aの供述の録取書であるからという理由で、憲法三七条二項によつて証拠とすることが許されないものでないことは当裁判所の判例の趣旨に徴して明らかである（昭二四・五・一八大法廷――前記【8】判例・筆者注、昭二五・九・二七大法廷――前記【16】判例・筆者注）。又右伝聞の供述の原供述者に対する反対尋問権について考えるに、この場合反対尋問をなすべき地位にある者は被告人Bであり、反対尋問をされるべき地位にある原供述者もまた被告人Bであるから、結局被告人Bには憲法三七条二項の規定による原供述者に対する反対尋問権はないわけである。従つてその権利の侵害ということもありえないことは明白である（被告人Bは欲すれば任意の供述によつてその自白とされる供述について否定なり弁明なりすることができるのであるから、それによつて自ら反対尋問すると同一の効果をあげることができる。）」」。（最判昭三二・一・二二集一一・一・一〇三（新））

原審である東京高裁が弁護人の論旨第六点に対する判断において説示する理由というのは、次のとおりである。

「原判示第一の放火未遂の事実の証拠として原判決は被告人Aの検察官に対する供述調書を挙げているし、それもその供述内容を刻明に判決に引用し、単に証拠の標目を示しているだけに止まらないのであるが、この引用された供述中に被告人Aが『BからB外三名でX方へ火焔瓶を投げてきたという話を聞いた』旨の供述記載があることは所論のとおりである。そこで所論は検察官に対する伝聞事項の供述は公判期日における供述中の伝聞について刑訴法三二四条の規定が存するのとは違い直接証拠能力を認めた規定がないから、前記Aの供述調書中同被告人がBから聞知した内容は証拠能力がなく（刑訴三二〇条）これを証拠としている原判決は違法であると主張するのである。なるほど刑訴三二四条は被告人以外の者の公判準備又は公判期日における供述で、被告人又は被告人以外の者の供述を内容とするものの証拠能力について規定するが、検察官に対する供述調書中に現われている伝聞事項の証拠能力につき直接規定はない。しかし供述者本人が死亡とか行方不明その他刑訴三二一条一項各号所定の事由があるとき、その供述調書に証拠能力を認めたのは、公判準備又は公判期日における供述にかえて書類を証拠とすることを許したものに外ならないから、刑訴法三二一条一項二号により証拠能力を認むべき供述調書中の伝聞にわたる供述は公判準備又は公判期日における供述と同等の証拠能力を有するものと解するのが相当である。換言すれば、検察官供述調書中の伝聞でない供述は刑訴法三二一条一項二号によつてその証拠能力が決められるに反し、伝聞の部分については同条の外同法三二四条が類推適用され、従つて同条により更に同法三二二条又は三二一条一項三号が準用されて証拠能力の有無を判断すべきであり、伝聞を内容とする供述はそうでない供述よりも証拠能力が一層厳重な制約を受けるわけであるが、検察官に対する供述調書中の伝聞にわたる供述なるが故に証拠能力が絶無とはいえない。これを本件についてみるに被告人Aは原審において公訴事実に対して陳述したくはないと述べたのみで爾来極力その無罪を主張して来たものであり、その検察官の供述調書は同被告人に対しては刑訴三二二条により証拠調が為されると共に放火未遂の共犯関係にある被告人B、C、Dに対しは同法三二一条一項二号により証拠として採用されたものである。このことは本件記録上明白で正当な処置と認められるのみならず弁護人の論旨もこの証拠能力を否定する趣旨とは認められない。然るにこのAの検察官に対する供述調書中の被告人Bの供述を内容とする部分は被告人Bにしてみれば被告人以外の者（A）の供述で被告人（B）の供述を内容とするものというに該当するから刑訴三二四条一項によつて同法三二二条が準用されて証拠能力の有無を判断すべきものである。而してそれは被告人Bに不利な事実の承認を内容とすることは自明であり、しかもX方放火未遂の共犯の一員である被告人Bが同じくその共犯で所用のため実行行為に参加しなかつた被告人Aに対する放火行為の結果の報告であるから、その供述が任意にされたものと認めるのが当然である。それ故前記被告人Aの供述中Bからの伝聞に関する部分は被告人Bに対する関係においては刑訴三二一条一項二号、三二四条一項、三二二条に則つて証拠能力があるというべきである。所論はこの伝聞部分にも証拠能力を認めるのは、反対尋問権を保障した憲法三七条二項に違反すると主張するが、既に刑訴三二一条によつて証拠能力があると認められた供述調書の一部分たる伝聞事項のみについて反対尋問をすることは実質的に殆ど無意義であり、又被告人Bやその弁護人が反対尋問をしようとさえすれば、被告人Aは原審公判廷に常に出頭していたのであるから、いつでも適当な時期に反対尋問権をする機会は十分にあつたわけで、反対尋問権の確保を保障し得ないことを憂うる必要はない。それ故原判決が前記Aの検察官に対する供述調書をBから聞知した事項についての供述を含めその全部を証拠に引用したことは、被告人Bに関する限りにおいては正当で論旨は理由がない。」

この判決は、(一)共同被告人Aの検察官に対する供述調書中に共同被告人Bからの伝聞の供述が含まれているときは、刑訴三二一条第一項二号、三二四条によって右被告人Bに対する証拠とすることができること、(二)右のように伝聞の供述を含む供述調書を証拠とすることは憲法三七条二項によって許されないものではないことの二点を明らかにしている。

弁護人は、被告人Aの右伝聞供述が公判期日又は公判準備期日における供述ではなく、検察官の面前における供述であるから、刑訴三二四条一項を適用することは許されず、右伝聞供述の記載部分を証拠としたことは違法であり、憲法三七条二項の趣旨がふみにじられると主張したのであるが、判決はこれを排斥したのである。

検察官調書中の伝聞供述に刑訴三二四条を類推適用することについては疑問がないではないが、刑訴三二一条各号の条件と三二四条の条件を充した場合には、いわゆる二重伝聞の証拠能力を認めるのが通説である(田中・証拠法一二三頁、平場・講義一九九頁)。しかしCが被告人Bから聞いたことを、更にCから被告人Aが聞いたというように、伝聞の伝聞の場合にまで拡張して、刑訴三二四条を類推適用することは許されないものと解する(同旨・三井・判例解説・法曹時報九・三・九二頁)。次に憲法三七条二項違反の論旨に対しては、この判決は反対尋問を経ない第三者の供述の録取書を証拠とすることを絶対に禁止するものではないという趣旨の大法廷判決(前記【8】およびび【16】判決)を引用してこれを斥けたのであるが、刑訴三二一条によって証拠能力があると認められた供述調書の一部分である伝聞事項のみについて反対尋問をすることは実質的に殆ど無意義であるとしている点には疑問がないではない。
被告人の供述を内容とする被告人以外の者の検察官の面前における供述を録取した書面の証拠能力については、刑訴法上明文がないが、この点に関して、次の高等裁判所の判例がある。

【86】『次に右書面が証拠能力を有するための他の要件を具備しているか否かの点について検討するに、これに記載されているAの検察官の面前における供述中、同人の公判期日における供述と実質的に異るものとして検察官が指摘するのは、『被告人がXと共にY方に衣類の売込に来た際、同人に対し、この品物は盗んで来たもので、金を今直ぐくれないかと話しているのを聞いた。』という部分があるから、右書面は被告人の供述を内容とする被告人以外の者の検察官の面前における供述を録取した書面である。かような伝聞を記載した書面の証拠能力については刑訴法上別段の規定がないのであるが、被告人以外の者の検察官の面前における供述を録取した書面という点において同法三二一条一項二号所定の要件を具え、かつ被告人の供述を内容とする被告人以外の者の供述という点において同法三二四条一項の準用により同条項従つて同法三二二条所定の要件を充足する場合には、これに証拠能力を認めるのを相当とする。」（仙台高判昭三〇・三・二三裁時一八二号一一(新)）。

この判例も前記【85】判例と同趣旨で、被告人の供述を内容とする被告人以外の者の検察官面前調書は、刑訴三二一条一項二号の要件と三二四条一項の要件を具備した場合に証拠能力が認められるとする。
被告人以外の者の公判準備又は公判期日における供述で被告人以外の者の供述をその内容とするものの証拠能力について、次の判例がある。

【87】「所論の証人Aの証言は公判準備における供述（原裁判所の現場検証の際における証言）であつて第

三者の供述をその内容の一部として含むこと原審が右伝聞部分に付、排除決定をなすことなく該供述調書の全部を証拠として採用したことによつて明である。しかしながら右調書及記録を通読すると右の第三者はその氏名、所在不明であつて公判期日に喚問することができず且その供述（前記伝聞部分）が犯罪事実の存否の証明に欠くことのできないものであり、なおその供述者（前同）は本件事故を起した自動車の直ぐ後に続いて事故現場を自転車に乗り通り蒐つた者であり、その場においては被害者の同伴者である右Aに対し前記自動車は小森のものだと告げたことをその内容とするものであるから特に信用すべき情況の下になされたものと解するを相当とする。そうだとすれば刑訴三二四条二項により準用される同法三二一条一項三号の条件を充足するものとして前示伝聞の部分に付ても証拠能力を認むるを相当とする。されば該伝聞部分を証拠として採用した原判決には所論のような違法はない。

仮に右と反対の見解をとり右伝聞部分は証拠能力がなく従つてこれを証拠として採用したことが違法だとしても前記自動車が小森のものであること（従つて犯人は被告人であること）は原判決挙示の原審公判準備（前同）に於けるX、Yの各証人尋問調書（尤も右供述中被害者Hがやられたやられた、小森小森と言つたとの部分は伝聞証言ではあるが事故により死に瀕している者の該事故に関する発言を内容とするものであるから、右伝聞に証拠能力を認むべきものと解するを相当とする）により優にこれを認め得るからして前題の違法は未だ判決に影響あるものとは言えない。」（福岡高判昭二八・八・二一 一集六・八・一〇七一）。

本件は、被告人が自動車事故により被害者を轢死させた業務上過失致死被告事件に関するものであり、判旨第一段は、被害者の同伴者が事故の現場を通りかかった者からその自動車が小森のものだと聞いた伝聞を公判準備において供述した場合には、刑訴三二四条二項、三二一条一項三号により伝聞の例外として証拠能力があること、判旨第二段は、被害者が臨終に際して、「やられたやられた、小森小森」と言つたのを聞いた者の伝聞証言は、死に瀕している者の発言を内容とするものであるから証拠能力があること、を明らかにしている。

判旨第一段の点は、事故現場を通りかかつた通行人が所在不明の者であり、その供述が犯罪事実の存否の証明に欠くことができないものであつたとしても——従つて必要性があつたとしても——果して信用性の情況的保障の存在が認められるか疑問がないではない。

判旨第二段の点は、正しく臨終の陳述の典型的なものとみることができる。臨終の陳述が伝聞の例外とされるのは、その必要性と信用性の情況的保障が大きいことに基づく（栗本・実務講座Ⅷ一八六五頁、改訂証拠法六二頁）。それは再現不可能だから必要性があり、死に臨んだ者が嘘言をいう蓋然性が極めて少いから信用性があるのである。この判決は、臨終の陳述が伝聞法則の例外となる理由については何も説明していないが、右の学説に従うものと思われる。

次に刑訴三二四条二項、三二一条一項三号により証拠能力があるとした被告人以外の者の公判期日における供述を、伝聞証拠の例外と認めるに足る必要性および信用性の情況的保障がないとして、原判決を破棄した最高裁判所の判例（最判昭三〇・一二・九集九・一三・二六九九）がある。その要旨は、「強姦致死被告事件において、被告人はかねて被害者某女と情を通じたいとの野心をもつていたという事実を認定する証拠として、某女がその生前被告人が自分に変な言動をするのでいやらしい旨第三者に告白したことがある旨の第三者の公判廷における供述は伝聞証拠である。」というのである。すなわち、この判決は、本来伝聞証拠たるべきものにつき伝聞証拠でないとしたため証拠とすることについての必要性および信用性の情況的保障の調査をしていない違法があること等を理由とし、第一審判決には事実誤認の疑があるとして、原判決および第一審判決を破棄した上、事件を第一審に差戻したのである。このような破棄は事実審の事実認定権に対する重大な干渉であり、その適否については疑問がないではない（寺尾・解説昭三〇・三九三頁は、最高裁は良心に反して下級審の事実認定を維持しなければならぬ道理はないから本件の解釈運用を是認すべきであるとするが、瀬下・法学新報六五・四・七〇頁は、判旨に疑問をいだいている）。

なお刑訴三二四条二項、三二一条一項三号の必要性および信用性の情況的保障がないとした高等裁判所の判例（広島高松江支判・昭二六・四・二三集四・四・四一〇）がある。すなわち、この判例は、証人尋問調書が焼失したため、その尋問に立ち会い調書を作成した裁判所書記官補及びその調書を閲読した副検事を証人として喚問し右の証言内容を供述せしめた場合を被告人以外の者の公判期日における供述で被告人以外の者の供述を内容とするものであるが、刑訴三二四条二項、三二一条一項三号の要件を欠くとして証拠とし得ないとしたのである。この判決に対しては、むしろ刑訴三二一条一項一号により証拠能力のある調書の焼失した場合にその写を提出するのに準ずべきであるとする見解（小野等・コンメンタール七二五頁）があるけれども、この判旨を支持すべきものと思う（同旨・高田二五五頁）。

（六）　同意書面

憲法三七条二項は、被告人の証人審問権確保の見地から伝聞証拠禁止の法則を規定するものであることは前述のとおりである。そして、被告人の反対尋問権は英米法的な当事者主義の要請に基き被告人の利益のために認められた権利であるから、被告人はこれを抛棄することができる。従って、被告人が反対尋問権を抛棄し、伝聞証拠を証拠とすることに同意した場合には、伝聞証拠としてこれを排斥する理由はない。刑訴三二六条が同意書面の証拠能力を認めているのは、右のような見地から説明できる。

これに反して憲法三七条二項を大陸法的な直接審理主義の要請に基づく規定だと解するときは、同意書面の意義を充分に説明することは困難となるであろう（中野・判例タイムス六一号三頁）。ドイツ法的な直接審理主義の立場からは、伝聞証拠は必ずしも禁ぜられることなく、また被告人の同意によって証拠能力が動かされることはないからである（岸・判例タイムス六一号三頁）。

同意書面に関する判例としては、次のものがある。

【88】「第一審において被告人は右証人の供述調書を証拠とすることに同意し反対訊問権を抛棄しているのであるから、明らかに右証人の取調請求ができたのにかかわらずその権利を抛棄したものである。」（最判昭二六・五・二五集五・六一二〇一（新））。

この判決は証拠とすることについての同意は反対尋問権の抛棄であることを明示している。

【89】「原審公判廷において検察官のAに対する証人尋問調書の証拠調の請求に対し（刑訴三二七条・三二八条による調書――筆者注）、弁護人はそれに同意し、被告人もこれに異議を述べなかつた。……憲法三七条二項に……と規定したのは被告人にいわゆる反対尋問権を確保させるためのものであるが、この反対尋問権は決して放棄を許さない権利ではない。刑訴三二六条一項はこのことを前提とし、検察官及び被告人が証拠とすることを同意した書面又は供述は原則として証拠能力を有することを定めたものである。従つて被告人又は弁護人から原審公判廷において証拠調請求に異議を述べなかつたことによつて、容易に所論証人尋問調書を証拠とすることを阻止し反対尋問権を行使する機会を捉え得た筈であるにかかわらず、事ここに出でず却つてこれに同意を与え反対尋問権を自ら放棄した以上原審が刑訴三二六条一項に則つて所論尋問調書を証拠とした事は少しも違法ではなく論旨は理由がない。」（東京高判昭二五・一・二一特一〇・六（新））。

この判決も供述調書を証拠とすることの同意は反対尋問権の抛棄と解している（札幌高判昭二五・四・二二特八・六七も同趣旨）。

（七）　伝聞法則の適用されない場合

以上（一）から（六）までにおいて、伝聞法則の例外として証拠能力を認められる書面について考察したが、刑訴三二〇条の規定する三二一条ないし三二七条の書面中には伝聞法則の例外の場合と伝聞法則の不適用の場合とが区別されるとするのが通説である。

伝聞法則が適用されない書面としては、まず刑訴三二二条の書面がある。被告人が供述者である自分自身に対して反対尋問をすることは全く意味をなさないからである（法三二二条が書面の証拠能力を制限しているのは、反対尋問権とは関係なく、直接主義の要請からである）。

伝聞法則の適用のない書面としてよく例示されるのは、脱税事件の表帳簿（裏帳簿は記載内容どおりの収入のあった事実を証明する書面として三二〇条の適用がある）、誣告罪における虚偽の事実を記載した申告状（最判昭二七・五・六集六・五・七三六参照）、告発の事実を立証するための告発書（福岡高判昭二五・二・二五特六・五五）、現行犯逮捕の適法性を立証するために使用する現行犯逮捕手続書（東京高判昭二八・七・七集六・八・一〇〇〇）等である。

しかし伝聞法則の例外の場合か、伝聞法則の適用を受けない場合であるか、それを区別することが困難な場合がないではない（前述法三二三条二号の書面は、伝聞法則の適用を受けない書面とも解せられる）。

伝聞法則の適用を受けない書面について、次の判例がある。

〔90〕「証拠に徴すると、被告人が本件起訴状の記載の日時に、かねて大阪市において入手した起訴状添付目録記載の貨物を大阪駅から博多駅まで鉄道便で輸送し、さらにこれを博多、厳原間の連絡船で長崎県上県郡

琴村まで送付した目的が奈辺にあるかについては、被告人の司法警察員に対する第一回供述調書及び検察事務取扱検察事務官作成の被告人の弁解録取書中に、該貨物を朝鮮に密輸出する目的で送付したものであるとの趣旨の自白を内容とする供述があるほか、直接の証拠が存しないごとく見えること原判決に説示のとおりである。しかし……原裁判所で取調べた証拠のうち……X名義のA（被告人―筆者注）宛封書の存在並びにその記載を併せて検討すれば、これを以て前記被告人の自白を補強する証拠となし得べく、起訴状に記載のごとき密輸出の目的の存在を肯認することができる。もつとも前記封書については、これを証拠とするについて、被告人の同意がなく、原審において刑訴三二一条一項三号の書面としてその取調がなされていることが記録上明らかであるとはいえ、本件において該封書が証拠として使用された意味内容を考察するに、その存在又は状態が証拠となつているのみでなく、その記載の意義も証拠となつているものとみられるけれども、該文書はそれに記載された事実の証拠として用いられたもの、すなわち記載された供述内容の真実性の証拠に供せられたものでなく、その内容の真偽と一応無関係に、その供述がなされたこと自体が要証事実となつているのであつて、換言すると、単に琴村方面における海上保安部の警備状況に関して、大阪に滞在中のA（被告人―筆者注）宛に、該手紙が発表されたこと且つこれを被告人が逮捕された当時所持していたことの情況証拠とされたものであることが記録上推認されるところであり、しかもその作成の真正に関しては、前記各公判調書中証人Yの供述記載により真実右Yから郵便官署スタンプの日付の日に被告人宛に発信されたものであることが証明されていることを認めるに足りる。そして該封書は所謂伝聞証拠と異り、証拠能力を有する書面として、刑訴三二一条一項三号所定の要件を充足すると否とにかかわりなく、これを証拠として採用し得るといわねばならない。

然し、伝聞証拠及び書証の証拠能力が否定される所以は、反対尋問の吟味を受けない供述は真実性が乏しいという点にあるものであつて、それはその供述内容の真実性の証明に供する場合、すなわち原供述者の直接に知覚した事実が要証事実である場合にのみ、これを証拠として使用することができないことを意味するに止まり、あらゆる伝聞供述を含むものではないと解すべきであり、従つて本件封書は前に説示のごとき意味において証拠に供されている以上、これを刑訴三二〇条に規定する伝聞法則の適用を受ける証拠書類に該当しないということができるからである。」(福岡高判昭二八・一二・二四集六・一二・一八二二(新))。

本件で問題となったのは、関税法違反被告事件において、被告人が貨物を朝鮮に輸出する目的であったことの自白の補強証拠として用いられた琴村在住の某から大阪滞在中の被告人宛に出された手紙である。この手紙には、「琴村には海上保安官が滞留していて空気が悪いから、荷物は博多にとめておかねばならぬ。」旨の記載があった。第一審裁判所は、被告人の密輸出の目的については、この手紙は被告人から証拠とするについて同意がなく、被告人の自白以外に証拠がないとして無罪としたが、控訴審裁判所は、原判決を破棄してこの判決をしたのである。

この判決は、この手紙がそれに記載された事実の証拠として用いられたものでなく、記載された供述内容の真偽とは無関係にその供述がされたこと自体が要証事実となっている場合には、その作成の真正が証明される限り刑訴三二一条一項三号所定の要件を具備するか否かにかかわらず、証拠として採用することができるとしたのである。或る書面が伝聞証拠であるか否かは立証事項との関係で問題となるのであり、人の法廷外の言葉をその通りの事実があったことの立証に供しようとするのではなく、他の事実の存在を立証する情況証拠として使用するのであれば、伝聞法則は何らこれをとがめないのであるから、判旨は正当である(小野等・コンメンタール六八七頁、栗本・実務講座Ⅷ一八五九頁)。

次に、伝聞法則の適用されない供述の例として、「自己又は年齢の極めて近接した兄弟姉妹の生年月日についての知識は、その直接体験による認識というを妨げないから、かかる知識に基く証言は伝聞でない。」（最決昭二六・九・六集五・一〇・一八九五）とした最高裁判所の決定がある。

本件は、被告人がA女が児童であることを知りながら売淫させた事実を認定するにあたり、A子が一八歳未満であることの証拠としてその姉Bの証言を採用したのである。これに対し、弁護人は、Bの証言はAの生年月日についてその親から聞いたというのであるから、刑訴三二四条二項、三二一条一項三号により証拠能力がない。それでBの親を証人に喚問して被告人の反対尋問をさせるべきだとして上告を申し立てたのである。しかし、最高裁判所は、判示の理由から、これを伝聞でないとしたのである。

三　証人要求権

一　証人要求権の意義

憲法三七条二項後段は、「刑事被告人は……公費で自己のために強制的手続により証人を求める権利を有する。」と規定しており、これは米国連邦憲法修正六条中「被告人は……自己の利益に（in his favour）強制手続により証人を求める権利を有する。」との規定に範をとったものと解せられている。

そこでこの被告人の証人要求権と前述した狭義の証人審問権との関係が問題となる。米国連邦憲法修正六条においては、前段には「被告人は……自己に不利益な証人（witness against him）との対審を求め……る権利を有する。」とあるのに、後段には「自己の利益に（in his favour）強制手続により証人を求める権利を有する。」とあるから、前段は検察官が提出する供述証拠について、検察官は反対尋問の機会を被告人に与えていない供述（供述録取書、供述書又は伝聞供述）を証拠とすることができないことを規定し、後段は、被告人がその発意によって自己のために呼び出そうとする証人について、呼び出しにつき強制的手続を利用することができることを規定しているのであると解せられている（田中・「証人審問権に関する判例」法曹時報三・六・一二）。

しかし最高裁判所は、前記【8】判例について述べたように、憲法三七条二項前段の「証人」を形式的意義に解しても、被告人は、同項後段に規定する証人要求権によって、被告人に不利益な供述録取書又は供述書を証拠として提出された場合に不審不満があれば、その供述者を証人として喚問することができ、証人として喚問した以上前段の適用を受けることとなるので、不都合がないとしている。しかし、憲法三七条前段が後段によって補充される関係にあるとするこの判例の見解には疑問がある。検察官が自己の主張を維持するために利用しようとする供述をした者については、検察官が自ら喚問の請求をして被告人に反対尋問をする機会を充分に与えるべきであって、その喚問請求の責任を被告人に転嫁することは許さるべきではないと考える（田中・前掲・法時三・六・一二参照）。

二　証人要求権の範囲

裁判所は、被告人側から請求した証人をすべて取り調べなければならないかの問題がある。英米法においては、証人尋問の請求があれば裁判所は証拠決定をすることなく取り調べねばならないのであるが、この場合でも、無制限に被告人請求の証人を尋問するのではない。すなわち、同一の争点についての無制限の数の証人が証拠につき過度または無用の混乱を引き起し、その結果それによって生ずる障碍にくらべて真実を確証する上でのその証言の価値が……少くなるときは、裁判所の裁定によって、証人の数を制限することが許される（Wigmore, Code of the evidence. 3ird ed. 1942, P. 357）のである。またドイツ刑訴法においては、証人尋問の請求を却下できるのは、それが不適法な場合、無用または蛇足である場合、合目的々でない場合および訴訟遅延の目的のある場合と規定している（ドイツ刑訴二四四条III）。わが刑訴法においては、裁判所が証拠決定をした証人についてのみ尋問するわけであるが、被告人から請求された証人の採否についての基準については何等の規定を設けていない（二九八条・三〇四条）。

そこで学説としては、憲法の予想する当事者主義の精神からいって当事者から証人尋問の請求があったときは、原則的にこれを許さなければならないとし（団藤・五改訂版二六〇頁）、また憲法三七条二項後段は刑事訴訟法に当事者主義を導入することを前提としているのであるから、少くとも民事訴訟において確立されている唯一の証拠方法に関する判例法の理論に従うべきであるとする（田中・証拠法二七頁）。

しかしわが国の判例は、次に述べるとおり、取り調ぶべき証人の範囲に一定の制限を認める（前記【23】判決が既にこの点について判示している）。

【91】　「憲法上裁判所は、当事者から申請のあつた証人は総て取調べなければならないかどうかという問題について考えてみよう。まず事案に関係のないと認められる証人を調べることが不必要であるは勿論、事案に関係があるとしても其間おのずから軽重、親疎、濃淡、遠近、直接間接の差は存するのであるから、健全な合理性に反しない限り、裁判所は一般に自由裁量の範囲で適当に証人申請の取捨選択をすることができると言わねばならない。所論の憲法三七条二項後段に……というのは、裁判所がその必要を認めて訊問を許可した証人について規定しているものと解すべきである。この規定を根拠として、裁判所は被告人側の申請にかかる証人

の総てを取調ぶべきだとする論旨には、到底賛同することができない。」（最判昭二三・六・二三 集二・七・七三四（旧））。

この判決は、健全な合理性に反しない限り、証人採否の決定は、裁判所の自由裁量の範囲に属するとして、事を極めて抽象的に論じているに過ぎない。

【92】「憲法三七条二項の規定が、被告人の証人に対する直接訊問権と証人喚問請求権に関するものであることは所論のとおりであるが、そのいわゆる喚問請求権が被告人の権利として認められているからといつて所論のように直ちに裁判所が被告人の申請するすべての証人を取調べる義務を負うものと即断すべきではない。『刑事被告人は公費で自己のために強制手続により証人を求める権利を有する』というのは裁判所がその必要を認めて訊問を許可した証人について規定しているものと解すべきであつて、右憲法の規定をもつて裁判所が有する証拠調の範囲を自由に定め得る権能を制限し又は奪つたものとすることはできない。この見解は当裁判所が既に判例として示したところである（昭二三・六・一四大法廷——前記【91】判例か・筆者注——）。而して被告人に対しては従来から証人喚問請求権が認められていたのに過ぎないのであつて、新憲法はこれを法律をもつて奪うことのできない憲法上の基本的な権利にまでひきあげて被告人のために確保したのであるから、憲法三七条二項の規定を前述のように解することは所論のように同条を空文に帰せしむることにならないのは勿論、裁判所は証拠調の範囲を定めるについて、被告人側からの申請であろうと、検察官側からの申請であろうと区別なくその必要と認める限度においてこれを採用すれば足るのであるから、所論のごとく検察官と被告人との刑訴法上対等の地位にある当事者として認めようとする憲法の精神に背馳するものではない。」（最判昭二三・七・一七 集二・八・九一〇（旧））。

この判例も、前記【91】判例を引用しているとおり、殆ど同趣旨の判例であるが、前判例より以上に裁判所の自由裁量を強調しているように思われる。証人採否の決定は裁判所の認める必要性のいかんによることとし、前の判例が示した「合理性に反しない限り」という抽象的標準さえも明示していない。またこの判決は、憲法三七条二項は従来から認められていた訴訟法上の証人喚問請求権を憲法上の基本的権利にまでひき上げたに過ぎないとしているが、これは憲法三七条二項の証人要求権が英米法的な当事者主義的要請に基くものであることに対する理解の不足を示すもので正当でない。更に上告論旨が憲法の予想する英米法的当事者主義を強調しているのに対して、判示は、「被告人側からの申請であろうと将又検察官側からの申請であろうと区別なくその必要と認める限度において之を採用すれば」当事者対等主義に反しないと答えているが、この点も英米法的当事者主義を正当に理解しないものというべきである。しかし本件においては、被告人が窃盗の犯罪事実を否認した点について弁護人が四名の証人を申請したのに対して裁判所がそのうち二名を尋問し、他を却下したというのであるから、一の犯罪事実に関する重複する証人の却下という意味で憲法に違反する措置ではないと考える（同旨・高田・刑評・九巻一九四頁）。

【93】「刑事裁判における証人の喚問は、被告人にとりても又検察官にとりても重要な関心事であることは言うを待たないが、さればといつて被告人又は弁護人からした証人申請に基きすべての証人を喚問し不必要と思われる証人までも悉く訊問しなければならぬという訳のものではなく、裁判所は、当該事件の裁判をなすに必要適切な証人を喚問すればそれでよいというべきである。そしていかなる証人が当該事件の裁判に必要適切であるか否か、従つて証人申請の採否は、各具体的事件の性格、環境、属性その他諸般の事情を深く斟酌して当該裁判所が決定すべき事柄である。しかし裁判所は、証人申請の採否について自由裁量を許されていると言つても主観的な専制ないし独断に陥ることは固より許され難いところであり、実験則に反するに至ればここに不法を招来することになるのである。そこで憲法三七条二項の趣旨もまた上述するところと背馳するものでは

ない。同条から直ちに所論のように、不正不当の理由に基かざる限り弁護人の申請した証人はすべて裁判所が喚問すべき義務があると論定し去ることとは、当を得たものと言うことができない。証人の採否はどこまでも前述のごとく事案に必要適切であるか否かの自由裁量によつて当該裁判所が決定すべき事柄である。さて、本件において原裁判所は弁護人から申請のあつた証人Aについて申請を却下したのであるが、つぶさに本件の具体的性質、環境その他諸般の事情を斟酌すれば、該証人の喚問は必ずしも裁判に必要適切なものでないと認めても実験則に反することはないから、右却下は何等の違法を生ずることがない。」(最判昭二三・七・二九集二・九・一〇四五(旧))。

この判例も証人採否の決定は裁判所の自由裁量に任されていることを認めるが、その裁量に一定の限度を設けようとして、実験則に反してならないことを強調している点は、従来の判例に比して一歩前進したものといえる。しかしそれにしても、裁判所の自由裁量と解する立場は、裁判所が当事者の証拠調の請求に原則的に拘束されるという立場とは根本的に異る。この判例に対して、或は職権主義的色彩が強過ぎるとし(団藤・五訂版二六〇頁)、今一歩当事者主義的色彩を採り入れ、犯罪事実についての争いのため申請される証人は、それが無用の重複と認められない限り喚問する必要があると解する学説(高田・刑判評釈九・二六五頁)があるに対し、裁判所が当事者の証拠調の請求に原則的に拘束せられるということは、必ずしも英米法的観念に基くものではなく裁判所の真実探求義務に基くものであるとする学説(斎藤・「民刑訴訟における証拠調の限度」法曹時報七・四・五)もある。その他多くの学説は、証拠調の請求の採否を決定することは、裁判所の自由裁量に属することであるが、その裁量権の行使は、経験則に反するものであってはならないので、合理的なものでなければならないとする点で一致している(栗本・諸問題一六一頁、青柳・全訂上二一六頁・井上・原論一八七頁)。問題は、最高裁判所の判例のいう実験則というような基準は漠然としているから、証拠調の申立を却下して差し支えのない場合を判定する客観的な基準をどうして発見するかという点にある。その意味において前述したドイツ刑訴二四四条三項ないし五項の規定は一応の基準となるものと思う。

【94】 「憲法三七条一項にいわゆる公平な裁判所の裁判とは偏頗や不公平のおそれのない組織と構成をもつ裁判所を意味すること並びに同条二項前段に刑事被告人は、すべての証人に対して審問する機会を充分に与えられると規定しているのは、裁判所の職権により又は訴訟当事者の請求により喚問した証人につき反対尋問の機会を充分に与えなければならないという意味であり、同条後段の規定も裁判所に被告人側の申請にかかる証人は不必要と思われるものまですべて取調べなければならない義務を負わしたものでないことは、いずれも、当裁判所大法廷の屡次の判例とするところであるから、所論憲法三七条違反の主張は総て理由がない。」（最判昭二七・一二・二五集六・一二・一四一三（応））。

この判例も別に新らしい内容を有するものではないが、新刑事訴訟施行後にされた判決という意味で意義がある。

【95】 「論旨は、原判決は第一審裁判所が弁護人のした被告人の精神鑑定の申請を却下したのを是認しているが原審の右の判断は憲法三七条二項の解釈を誤つた違法があると主張している。しかし憲法三七条二項は、裁判所がその必要を認めて訊問を許した証人について規定しているものであつて、この規定を根拠として裁判所は被告人側の申請にかかる証人の総てを取調ぶべきであると言い得ないことは、当裁判所の判例の示すとおりである（昭二三・六・二三大法廷―前記【91】判決・筆者注―）。されば所論の理由ないことは右の判示の趣旨に徴して明らかである。」（最判昭二五・一一・二六集四・一二・二六三七（新））。

この判例は、鑑定人も人的証拠であり、憲法三七条二項後段の「証人」には鑑定人も包含される趣旨を明らかにした点で意義がある。

証人要求権に関する高裁の判例として、次のものが挙げられる。

【96】「日本国憲法三七条二項において所論のように規定を設けたゆえんのものは、右裁判所の必要とした証人訊問の実施に際しても、被告人の利益を保障せんがために、被告人に、証人に対して直接審問する機会を充分に与うべきであり、なお右の保障を完うする手段として、右証人は公費で、かつ必要な場合には、強制的手続によつて、出頭させることを求める権利を被告人に与え、もつて前示刑訴法の各規定と相俟つて証拠調の実施に関し、被告人の利益を確保せんことを意図したるものと解するを相当とすべく、右憲法の規定に基いていやしくも被告人の申請した証人は所論にいわゆる権利の乱用とならない限り、すべて裁判所はこれを訊問することを要するとする所論は、いまだこれを肯認するだけの根拠を発見し難いところであつて、畢竟独自の見解と見る外はない。だから、たとえ原審が被告人の申請にかかる証人の一部の訊問をしなかつたとしても、これだけで原審の手続が憲法に違反したものということはできないから、論旨は理由がない。」（大阪高判昭二三・一・二〇集一・一・二三（応））。

この判決も証人採用の限度は裁判所の必要と認める限度で自由裁量により決定し得るところであるから、被告人申請の証人はそれが権利の乱用とならない限りすべて裁判所は尋問することを要するというのは独自の見解であるとしている。

【97】「思うに、当事者主義の訴訟構造の下においては、当事者の訴訟進行権を十分に尊重しなければならないことは当然であるから、当事者の請求する証拠調を裁判所が自由裁量によつて却下するには、合理的な理由がなければならない。検察官側の証拠によつて既に有罪の心証を得たからといつて、弁護人側の反証を不必要なものとして却下するようなことは、予断による裁量であつて、決して合理的な自由裁量とはいえない。すなわち、争ある事実に対して、一方の当事者の請求した証拠だけを取調べて結論を下すことは、合理的な判断といえないのが原則である。ただしかし、相当数の証拠を取調べた結果、それ等の中には争ある事実を肯定するものもあり、争ある事実を否定するものもあり、裁判所はその双方の信用力を十分に斟酌した上、どちらかの

心証を得た場合においては、それ以上申出でられた他の証拠を取調べてみても、その心証の覆らないことについて客観的に相当な理由があるならば、更に同等の証拠を取調べる必要がないものと解すべきである。本件の争点は、被告人の経営していた東洋文化セールズ社の事業が、被告人の弁解するように分割支払による商品販売業であるのか、或は原判決の認定するように物品割賦販売業を仮装した相互銀行業務であるかの点であつてこの争点について原審では証人A外六名の証人が尋問せられている。それらの証人の地位は、本件東洋文化セールズ社の財務部長、社員、外交員、勧誘員、契約加入者などであるが、その中には被告人の弁解するような事実を述べているものもあるけれども、その大部分は『加入者が品物を買つたことはない。』とか『加入者は契約するときに、どういう品物を希望するかを特定するようなことはなかつた。』とか、『加入者の大方の人は金を希望していた。』とか『妻が三万円貸して貰いたいという申込書を書いて会社に持つて行つたことがある。』とか述べているのである。原審としては、これらの供述と押収にかかる営業案内（証第一号）の存在及びその内容など綜合した上で、被告人の弁解をしりぞけて原判示のような心証を得たものと認められる。これに対して論旨に述べているような証人二名を弁護人から申請したのであるから、それらの証人の地位（加入者など）及び立証趣旨から考えて、右の心証を覆すに足るほどの優越な証明力を提供するものとは到底認められない。かような事情の下においては、その必要なしとして証拠調の請求を却下しても審理不尽とはいえないのである。」（大阪高判昭二九・一一・二七裁特一・一一・五〇〇（新））。

この判決は、或る事実について裁判所が既に証明ずみの心証を得ている場合に、その反証の取調の請求を、不必要と認めて却下できるのはいかなる場合であるかという困難な問題を解明している。すなわち、裁判所が既に証明ずみの心証を得ている場合でも、その反証の取調を不必要と認めて却下することは、予断による却下であるから、原則として許されないと解するのが相当である。しかしながら、反証の申出があるならば、常にそれを許さなければならないというわけのものでもない。いかなる場合には、反証の申出であっても、それを却下して審理不尽とならないかを解決する基準が必要となるわけである（斎藤・「証拠調の限度」法曹時報七・四・一五参照）。

【98】「弁護人は、刑事裁判において、被告人に有利な唯一人の証人の申請を却下するのは憲法三七条に違反すると主張するけれども、憲法三七条二項は、裁判所が必要と認めて尋問を許した証人について規定したものであつて、裁判所は被告人側から申請された証人はすべてこれを取調べなければならないという趣旨を定めたものではないこと既に最高裁判所判例（昭二三・六・二三大法廷――前記【91】判決・筆者注、昭二五・一二・二六第三小法廷――前記【95】判決・筆者注）の存するところであるところ、その理は、被告人側から申請された証人が唯一人である場合であつてもなんらその適用を異にするものではないと解するのを相当とするから、原裁判所が、前記のように、既に検察官提出にかかる証拠だけで十分に心証を形成することができた以上、弁護人から申請された唯一人の証人の取調をなさずこれを却下しても刑事被告人の憲法上の権利の保障を侵害するものではなく、また憲法三七条に違反するものではない。」（東京高判昭三一・二・二集九・一・六五（新））。

この判例は、民事訴訟において確立されている唯一の証拠方法の却下はできないという判例法が刑事訴訟においては適用されないことを明らかにしている。しかし刑事訴訟においても、反証の取調の請求を不必要として却下するには――それが唯一の証拠方法であるか否かは絶対の標準ではないけれども――慎重でなければならないことは、前述のとおりである。「裁判所が既に立証事項についてその当事者の主張が証明されていると認める場合は、それ以上他の証拠を取調べる必要がない。しかしこの場合その事実を争う相手方から申出た証拠を不必要として排斥することは、公平を欠くから許されない。双方の提出に依る証拠を取調べた後であれば、その余の申出は、最早既に心証が覆えされない相当の理由のある限り、取調べなくともよい。」との民事訴訟における学説（兼子・民訴法大系二六四頁）は、刑事訴訟においても極めて示唆に富んだものと考えられる。

三　「公費で」の意義

憲法は被告人に公費で証人を求める権利を認めているのに、刑事訴訟法は証人の召喚の際民事訴訟法（一六〇条）とは異り費用の予納は命じていないが、被告人が刑の言渡を受けた場合には訴訟費用の全部又は一部の負担を命じ（法一八一条一項本文）、その費用の中には証人の日当、旅費および宿泊料を含むので（刑訴費二条一号）これは憲法違反ではないかとの問題を生ずる。

しかし判例は、被告人が有罪の判決を受けた場合に訴訟費用の負担を命じても憲法違反ではないとし、学説もこれを肯定している。

【99】「憲法三七条二項の公費で自己のために証人を求める権利を有するという意義は、刑事被告人は、裁判所に対して証人の喚問を請求するには、何等財産上の出捐を必要としない。すなわち証人の旅費、日当等はすべて国家がこれを支給するのであつて、訴訟進行の過程において、被告人にこれを支弁せしむることはしない。被告人の無資産などの事情のために、充分に証人の喚問を請求するの自由を妨げられてはならないという趣旨であつて、もつぱら刑事被告人をして、訴訟上の防禦を遺憾なく行使せしめんとする法意にもとづくものである。しかしながら、それは、要するに、被告人として、訴訟の当事者たる地位にある限度において、その防禦権を充分に行使せしめんとするものであつて、その被告人が判決において有罪の言渡を受けた場合にも、なおかつその被告人に訴訟費用の負担を命じてはならないという趣旨の規定ではない。

……裁判確定の上で、その訴訟に要した費用を何人に負担せしめるかという問題は、右憲法の規定の関知しないところであつて、これは法律をもつても、適当に規定し得る事柄である。刑訴法は、訴訟費用は、刑の言渡を受けた被告人をして負担せしめることを原則とし、また刑訴費用法は、証人の喚問に要する費用をもつて、公訴に関する訴訟費用とする旨規定しているのであるが、これらの規定は何ら右憲法の条項に違反するところはないのである。」（最判昭二三・一二・二九集二・一四・一九三四（旧））。

この判決によれば、「公費で」というのは、証人の召喚、勾引等の出頭の強制に要する費用を公費とする趣旨であることを明らかにしている。憲法三七条二項後段の規定は、むしろ被告人が自己に有利な証人を強制してまで出頭させる権利を確保する趣旨であり、現行法においても証人の旅費、日当および宿泊料等は第一次的には国が支払うことになっているのであるから（法一六四条）、被告人が判決において有罪の言渡を受けた場合に、これを被告人に負担させることは憲法の条項に違反しないとするのであって、学説もこれを肯定している（栗本・諸問題一九九頁、田中・証拠法二七七頁、団藤・条解二八九頁）。しかし証人はたとえ被告人に有利な証人であっても真実発見という司法の要請によって取り調べるものであるから、被告人が有罪判決を受けた場合でも、その証人に対する旅費、日当および宿泊料を訴訟費用として被告人自身に負担させる合理的根拠をどこに求めるかは問題がなくはない。

【100】「憲三七条二項に刑事被告人は公費で自己のために強制的手続により証人を求める権利を有するとあるのは、刑事被告人が若し証人を求めるならば、これが呼出等に要する費用は裁判所に於て予め支出し当該証人を呼出し、これに応じないときは勾引等強制手続によつても被告人に当該証人審問の機会を与えねばならず、被告人に権利として斯る処置を裁判所に請求し得ることを規定したものである。従つて裁判終了後これに要し

た訴訟費用を何人に負担せしめるかということは右規定の関係するところでなく、専ら刑訴法二三七条以下の規定により決せらるべきものと謂わねばならぬ。依つて刑訴法二三七条、憲法三七条二項は何等矛盾するものではなく、その有効なること勿論であつて、原審が刑訴法二三七条一項を適用し、被告人に対し訴訟費用を負担せしめたことを以て憲法三七条二項に違反する違法あるものと謂うことはできない。」(福岡高判昭二三・一〇・七集一・二・二二四頁(旧))。

この高等裁判所の判決も最高裁の前記【99】判決と全く同趣旨である。

判　例　索　引

大審院判例

最高裁判所判例

高等裁判所判例

著 者 紹 介

浦 辺 衛（うらべ まもる） 最高裁刑事局第二課長

総合判例研究叢書 刑事訴訟法（5）

昭和33年7月30日 初版第1刷印刷
昭和33年8月10日 初版第1刷発行

著作者 浦 辺 衛

発行者 江 草 四 郎

印刷者 春 山 治 部 左 衛 門

東京都千代田区神田神保町2ノ17
発行所 株式会社 有 斐 閣
電話九段(33)0323・0344
振替口座東京370番

印刷・共立社印刷所 製本・稲村製本所

総合判例研究叢書 刑事訴訟法(5)
(オンデマンド版)

2013年2月15日　発行

著　者　　浦辺　衛
発行者　　江草　貞治
発行所　　株式会社 有斐閣
〒101-0051　東京都千代田区神田神保町2-17
TEL　03(3264)1314(編集)　03(3265)6811(営業)
URL　http://www.yuhikaku.co.jp/

印刷・製本　　株式会社 デジタルパブリッシングサービス
URL　http://www.d-pub.co.jp/

AG531

ISBN4-641-91057-X　　Printed in Japan